华文出版社

图书在版编目(CIP)数据

隐婚/宋晓鸣著.—北京：华文出版社，2010.8
ISBN 978-7-5075-3227-2

Ⅰ.①隐… Ⅱ.①宋… Ⅲ.①长篇小说-中国-当代
Ⅳ.①I247.5

中国版本图书馆CIP数据核字(2010)第154927号

书　　名：隐婚
标准书号：978-7-5075-3227-2
作　　者：宋晓鸣
责任编辑：方明亮
出版发行：华文出版社
地　　址：北京市宣武区广外大街305号8区2号楼
邮政编码：100055
网　　址：http：//www.hwcbs.com.cn
电子信箱：hwcbs@263.net
电　　话：总编室010-58336255　发行部010-58336270
　　　　　编辑部010-58336278
经　　销：新华书店
开本印刷：北京嘉业印刷厂
　　　　　880mm×1230mm　1/32开本　7.5印张　150千字
　　　　　2010年9月第1版　2010年9月第1次印刷
定　　价：26.80元

CONTENTS

目录

第一部 闪婚

十一月初，在认识不到三个月后，曾菲菲与陈义刚悄无声息地登记结婚了。因为时间紧，他们没有办婚礼，没有买婚戒，没有度蜜月，双方父母凑在一起吃了个饭，便是象征性的结婚仪式了。

第二部 隐婚

曾菲菲环视一下同事，其中大半是『剩女』，她竟然没有激情告诉大家自己几天前结婚了，而且她觉得即便说了也没人相信，自己一点儿新娘子样儿都没有，连起码的婚戒都没有戴。

第三部 挽婚

完全是一道动人的美味……个人的舌头很快纠缠在一起，巧克力与香草的混合，头去，一下一下地吻着她的脸，又去吻她的唇，两曾菲菲抬起头，满面泪花，楚楚动人。陈义刚低下

自序

本来想找个作家朋友帮我写序，后来又觉得在这部小说里到底想表达什么还是自己最清楚，就不去麻烦别人了吧。

“隐婚”这个词现在很热。因为刘德华、郑中基、阿Sa、黎明等等很多明星都被曝隐婚已久。而实际上，在明星隐婚现象浮出水面之前，普通的都市人群中，伪单身现象就已经出现了，虽然算不得普遍，但是数量也相当可观。

在我看来，“隐婚”有两层意思：一是有些人因为工作或个人对自由的向往刻意隐瞒已婚的身份；二是别人尽管知道你已婚，却视若不见，依然会主动求爱。不得不说，婚姻观念逐渐的淡薄已是一个不争的事实。

因为做过多年的情感编辑，对于当代人的爱情与婚姻积累了不少素材，我认为，人的记忆力是有限的，有些事会随着岁月逐渐淡忘。所以，很想在年轻的时候，在对情感还有所知觉时，描绘一下自己生活的这个城市——北京，这个国际化的大都市里的男欢女爱是什么状态。或许

10 年后一切将会十分不同，因此，记录现在就显得十分重要。

《隐婚》中有很多社会热点，猎婚族、闪婚、周立波现象、凤凰男、姐妹淘、多边恋等等，其中的人物既普通而又个性鲜明，就像是生活在我们身边的朋友。他们身上有我的亲朋好友以至于一些不相识的读者的影子，因为我一直在媒体工作，对媒体人的工作与生活形态比较熟悉，因此，女主角被设计成了一个杂志社的编辑。但我相信，没有做好婚前功课就仓促闪婚的姑娘遍布在各行各业，闪婚后矛盾重重的现象更加普遍，在婚姻中感到迷茫而出轨的也真实存在。

本文最终以一种相对柔软的方式解决了看似尖锐的矛盾，也许很出乎读者的意料，但是在这个多元的社会，这样的结局是绝对有可能的。在我看来，“隐婚”本身就为婚外恋提供了土壤，一些事似乎很难避免。而我认为当今社会的价值观并不在于出轨者有没有受到严厉的惩罚，而是要找到婚姻问题的结点，全身心地去解决它，真心地尊重和疼爱自己的伴侣。

不久前采访了一位台湾的催眠大师，问他催眠对于人究竟有什么积极意义。他说催眠很广泛地用于心理治疗，你的未来怎样，某种程度上是一种心理暗示的结果。如果你希望未来美好，那么一定要心存这种美好的愿望，然后就会发现你真的在循着这个轨迹发展。同理，如果你已经决定走进婚姻，也该如此，相信你的婚姻生活是美好的，并努力经营它，它就会是美好的。

其实，婚姻也有三重境界，第一重境界，见山是山，见水是水；第二重境界，见山不是山，见水不是水；第三重境界：见山还是山，见水还是水……

[第一部　闪婚
FAKE SINGLES]

十一月初，在认识不到三个月后，曾菲菲与陈义刚悄无声息地登记结婚了。因为时间紧，他们没有办婚礼，没有买婚戒，没有度蜜月，双方父母凑在一起吃了个饭，便是象征性的结婚仪式了。

剩女二十七

不知从哪天起，
婚姻竟成为摆在很多女人面前的课题，
一过28岁，再不结婚就要被人戏称为“剩斗士”，
日本有个更残忍的叫法——“败犬”。

如果这算一个故事的话，要从2008年夏末讲起……

2008年8月的北京，并非如想象中那般开始凉爽起来，高温、暴晒依然是延续下来的主题。窗外，不知道哪一棵树上，每天中午都有类似知了的昆虫在鸣叫，和知了不同的是，它的叫声很像一个酣睡的男人的呼噜声。

正在家休养的美女编辑曾菲菲无心午睡，起身走到窗前向外望去。窗口是临街的，能看到来来往往的人，午后的阳光很强烈，而人们依然在忙碌奔波着，像一只只无奈的小蚂蚁，看着这个场景，曾菲菲感到一阵倦怠。

算了算日子，中国的情人节七夕就要到了，而情侣们显然没有多少欢度的欲望，这从各种媒体的安静气氛便知。曾菲菲分析，一是因为气温高，让人提不起兴致；二是经济环境不那么景气，大多数人挣着买白菜的钱，操着买白粉的心，肯定觉得浪漫有个屁用。

其实把“七夕”这个纪念悲惨情侣的日子作为情人节，在曾菲菲看来本身就有点二，那些庆祝的人好像是在巴望自己和意中人也该两地分居似的。不过异地恋的牛郎和织女还不是最惨的，最惨的是队伍日益壮大的都市剩女一族。

不知从哪天起，婚姻竟成为摆在很多女人面前的课题，一过28岁，再不结婚就要被人戏称为“剩斗士”，日本有个更残忍的叫法——“败犬”。曾菲菲27岁的生日已经过去了，经过对现今婚姻市场的一番分析，她一夜之间做了个决定，要尽快结婚，结束单身生活。

美丽的曾菲菲突然间恨嫁是有隐情的，那就是与赵克凡恋情的结束。尽管她用了两周的时间去忘记，然而此刻，站在窗前，她又想起了最后与赵克凡在一起的场景，只不过，现在不再像前几天那般痛苦得有滋有味了，平静了许多。

看来时间真是一剂良药，能消解很多负面情绪。去年此时，他还带她参加了美院建院五十周年的活动，展厅里几个炫目的展台上，橱窗设计的图片旁边都署着赵克凡的名字，她当时还挺骄傲，想我曾菲菲的男人就要卓越非凡才可以。回想起来，北京姑娘这与生俱来的优越感挺可笑的。

造成曾菲菲失落的，是半个月前那个闷热的午后，两个人依偎在沙发上聊着天。本来与以往没什么不同，赵克凡沉默了一阵儿忽然说，他一直不想安定，他喜欢自由的生活，目前已经谋到去上海发展的机会，那里的薪水比较高。再过两年，他还要到法国去留学，这是他的人生规划，而这个规划里居然没有她曾菲菲的名字。听了这话，曾菲菲心里想，赵大爷，您都3.5张了，还有这么长远的人生规划，看来我该退出了。

开始，曾菲菲忍耐着不动声色。到了晚上，他们一起去泡了夜店，赵克凡喝了很多酒，竟然抱着曾菲菲哭了，边哭边说："菲菲，再过十年，如果你我还是单身，那咱们就结婚吧！"曾菲菲冷眼看着他，忽然觉得这个男人既冷酷又自私，而且头一次发现他还很会装孙子。

"呵呵，好呀！"她冷笑着看他，任凭他抚摸着自己的腰肢，并感受着他膨胀起来的欲望。赵克凡紧紧抱了一阵儿后，轻轻地在她耳边说："回我家吧，好吗？"曾菲菲也轻轻地回答："好呀……你到寄存处拿衣服，我在楼下大堂等你。"赵克凡立刻点了点头，放开了她，转身去拿衣服。

曾菲菲独自从电梯下了楼，没有在大堂停留一步，出门叫了一辆TAXI，疾驰而去，随后关了手机。

不知道赵克凡有没有打电话找她，她想他会找的。好在她为了保持那个若即若离的神秘感，没带他来过自己的住处，否则他也许会找上门来，那样的话，自己一定会心软的。

说实话，她确实爱他身上的那股艺术气质，但是，她痛恨这种游戏式的男女关系。虽然在这个多元化的社会，很多人热衷于游戏，但是她曾菲菲的价值观还是与大多数女人一样，需要安全感，需要一个可以做丈夫的男人。

就在回家的出租车上，她就决定要尽快嫁人了，从此过一个正常女人的生活，很决绝。

但想着想着竟禁不住哭了起来，一段爱情宣告结束，无论谁对谁错，女人总是要伤感的。而半个月后的现在，站在窗前，曾菲菲的神经似乎麻木了很多，她几乎觉得自己已经成功地忘了这个人。她哪里知道，失恋的痛苦是间歇着来的。

曾菲菲的思维以跳跃著称，她一会儿想到赵克凡，一会儿想到结婚计划，而这个计划刚想了个开头，她又开始憧憬当妈妈了。近几年，北京新生儿的出生率超级高。

曾菲菲每天傍晚都会在自己所住社区的中心花园散步，而一路上婴儿的笑声与啼哭声不绝于耳，放眼望去，婴儿车遍布了每一个角落，在楼下乘凉的人群中，几乎呈现出人手一孩的局面，她常常会为这种景象所动容，更加想结婚了。

曾菲菲站在窗前，东想西想地发了一阵呆，终于开了机。瞬间堆积了多日的短信息响个不停，有赵克凡的、有同事的、还有闺蜜钱小美的。她想了想，最先给钱小美回了电话，约她晚上一聚。

钱小美是电视台的节目责编，她们四年前在一个媒体活动上相识，两人一见如故，一路相处下来，因相似的价值观而惺惺相惜，分享过很多快乐与忧愁——当然还有秘密。

晚上，两个姑娘在小区门口的必胜客吃过了晚饭，就在社区花园里散步聊天。“你这几天忙什么去了？也不开机。”钱小美就此事发问。其实曾菲菲一向情绪化，她的工作时间又比较自由，关两天机再正常不过，但是钱小美总觉得她最近有点异样，和以往不同。

“亲爱的，我闭门思过了几天，准备开始疯狂相亲了。”曾菲菲话说到一半，停顿了一下。

钱小美笑着甩了一下头：“你没事吧！相什么亲？不是一直有男人在追你吗？”

曾菲菲摇了摇头：“那都是些不靠谱的烂桃花，恋爱我已然谈得够够的了，我想结婚了！”

“忽然想结婚了？”钱小美依然不解。

曾菲菲一点头：“是呀，你看看这些推着宝宝车的妈妈，她们多幸福呀，这才是女人该有的生活。我已经将结婚列入计划之中了，预计一个月之内确定结婚对象，五个月之内结婚，一年之内怀孕。”

“哦……”钱小美应着，还是有点摸不着头脑，在她印象中曾菲菲一直是个需要浪漫的女人，本以为她有种谈一辈子恋爱呢。但曾菲菲毕竟不是玛戈皇后，不是杜拉斯，她还真没这个种。

曾菲菲很快就开始了她的相亲计划，而相亲的对象五花八门，有朋友介绍的，有交友网上结识的。忙活了两个礼拜，见了八个人，她这才知道原来未婚男人是如此的千奇百怪，有见到她就脸红到脖子根的；有因为她晚了 20 分钟就脸色铁青的；还有当场要求她一起做体检尽快结婚的，曾菲菲被雷到了。她想起话剧《自我感觉良好》里的那句话：“剩下的女人都是女人中的极品，而剩下的男人大多是男人中的垃圾”，这话绝好。

失望了一阵后，她又想起了婚介所，不妨一试，于是从婚介广告中千挑万选了一个。没成想，婚介雷起人来更加震撼。一个一脸职业微笑的工作人员问好了曾菲菲的择偶条件后，居然让她交两万块钱服务费。

曾菲菲杏眼圆睁，质问："凭什么呀？"

工作人员的回答一套一套的，"哎哟，您不清楚吗？现在本来就是女多男少呀，而且很多女孩儿的条件都不错，当然您也不错，人长得漂亮，工作又好，但比您好的也有很多呢。再加上您要求这男的人要长得标致，学历要高，收入还要您的两倍以上，这样的条件还单身的男人本来就少，我们是要保证您择偶成功的，那得费多大精力才能满足您呢……"

曾菲菲保持着涵养没有摔门而去，心里一个劲儿地不服气。现在女人活得也太辛苦了，要和男人一样赚钱，嫁人还成了难事。

正心烦，钱小美打电话过来："怎么，菲菲，今天晚上有空吗？我晚上在后海包了一个小酒吧，准备玩杀人游戏，你也来吧。"

曾菲菲没好气地说："这都是多少年前的游戏了呀，算了吧，你把酒吧退了，来找我吧，我烦着呢！下周就要截稿了，我还有七千字没有搞定，重点是现在一点心情也没有。"

"来玩儿吧！就当认识几个新朋友，你最近太宅了，出来透透气吧！"曾菲菲觉得钱小美说的也有道理，叹了一口气，答应了。

曾菲菲一到后海就晕头转向，找那个小酒吧很费了些周折，最后终于到达了地点。

她四周看了看，这哪里是酒吧呀，就一间破民房而已，估计一共也就不到二十平方米，房顶上随便挂了些彩灯，光线昏昏暗暗的。

一进门她就被正对门口坐着的钱小美发现了，被招呼了过去。曾菲菲坐定后用眼睛扫描了一下到场的人，除了自己还有四女三男，其中三男三女像是情侣或夫妻，那个多出来的女人就是自己的闺蜜钱小美，曾菲菲不太明白钱小美弄这个派对是何用意，为了对比出她和自己正耍单儿？

钱小美显然看出了曾菲菲心中的迷惑，于是说："待会儿还有两个男人来啊，一个是我男友，一个是他弟弟。"

曾菲菲更郁闷了，心想合着就我一个人耍单呢。

钱小美进一步解释："我男友的弟弟是个 IT 精英，没女朋友呢。"

曾菲菲随便"哦"了一声，才明白钱小美是要给她发个男人，但经历了一系列相亲挫折后，她已不抱希望。

游戏在钱小美的一声吆喝中开始了，由于人多名字不好记，钱小美让所有的男人都以蔬菜起名，而所有的女人都是水果，曾菲菲用"草莓"作为自己的符号，同场的蔬果分别是"白菜"、"冬瓜"、"茄子"、"提子"、"香蕉"、"水蜜桃"，钱小美给自己取名为"红毛丹"。由于参与游戏的人太少，一个小时之内就杀了十局，而且已经形成了规律，"白菜"不是杀手便是第一轮被杀，眼看有点要急眼的意思："怎么回事呀？你们让不让人玩儿啊，我走了啊！"众人赶紧挽留"白菜"，保证不再杀他。正劝着，两个男人走了进来。

曾菲菲抬眼看了一下来者，一个微胖，肤色较白，一进门就叫"萍萍"，估计是钱小美的新男友，她还是头一次见到这个男人。另一个高一些、帅一些，戴着一副眼镜，微笑着点头和大家打招呼。

钱小美连忙给大家介绍说："又两个蔬菜来了，这位叫陈义冰，我的朋友，另一位叫陈义刚，他弟弟。"说完她让陈义冰过来，并张罗着让陈义刚坐在曾菲菲的身边，准备继续进行杀人游戏。但是新来的两个人似乎不太有兴致，可能是白天的工作费得脑筋有点多，实在不想再投入到这种智力游戏中来。

于是，蔬菜水果们开始讨论接下来的娱乐项目，争论了一番后，“茄子”提议夜爬香山，大家都觉得有趣，积极响应。曾菲菲看了看自己的鞋，虽然跟不算太高，但也不是休闲鞋，爬山肯定不太合适，可她又不想独自回家享受无聊寂寞。

“我的鞋……”曾菲菲一边看着钱小美一边嘟囔着。钱小美低头看了看，拍了她一下：“香山有台阶的嘛，这个鞋没有问题啦!”一直没怎么吱声的陈义刚竟然也附和着说：“是呀。应该没关系吧。”既然有人鼓励，曾菲菲就以半推半就的姿态跟着去了。

夜晚的空气非常好，一行人来到香山的脚下，都禁不住做了几次深呼吸。钱小美与曾菲菲并排着走，陈义冰和陈义刚分别站在她们两侧。其他人散落在周围，三个一群两个一伙的。曾菲菲问钱小美：“今天这个聚会都是一对一对的呀?”钱小美说：“临时搭对的，有的也是初次见面。”曾菲菲“哦”了一声，继续在黑暗中走她的路。

在登山活动大概进行了四十多分钟的时候，曾菲菲感到了鞋子与脚的不对付，脚趾头隐隐作痛，每走一步，痛感就更深一层，因此她的速度也就慢了下来。

不怎么说话的陈义刚分明是看到了曾菲菲的反应，很自然地伸出手来：“是不是累了?我扶你吧，走起来会轻松些。”

曾菲菲本来有点犹豫，但是脚实在疼得厉害，这么黑的天，她又不能掉队，也不能让所有人都原地等着她。于是她伸出手说了声“谢谢”，陈义刚紧紧地攥住了她的手，借着他的力，曾菲菲感觉轻松了不少。

还没走多远，陈义刚的鞋带竟开了，于是他俯下身去系，还没等他站起来，刚才杀人游戏中的“茄子”走到曾菲菲身边，伸出了援助之手：“美女，我来扶你吧。”曾菲菲不好推辞，于是跟着他走了。

陈义刚收拾好鞋子一抬头，发现曾菲菲不见了，有点沮丧。山上没有灯，他只看到一堆正在移动的人影，听到熙熙攘攘的聊天声。陈义刚赶紧跟上人群，寻到曾菲菲的时候，同时看到了不想撒手的“茄子”，有点失望。

不到两个小时，一群人到达了山顶，大家各自找到了坐的地方休息。因为山顶直接笼罩在月光之下，一切都变得清晰起来，曾菲菲看到钱小美和陈义冰靠在一起像一对兄妹一样美好，很羡慕。

“茄子”与她东一句西一句的扯着，让曾菲菲想到了最近一次次相亲的场景，也是这个感觉。她使劲呼吸着空气，仿佛要把所有的内脏都浸透一遍。俯首望去，世俗的街区灯火通明，还能看到成行的汽车在行进。

手机铃声在此时显得尤其刺耳，曾菲菲看了一下号码显示，慢悠悠地把手机放到耳边，那边传来了赵克凡的声音：“菲菲……”曾菲菲只默默地听着，几乎是面无表情，但在她的身体里，心脏跳得飞快。

赵克凡继续说：“菲菲……你怎么不理我了？我已经到上海了，这么多天联络不到你，我急坏了，你还好吧？”

“我很好。”曾菲菲回答得简单干脆，这让赵克凡一时不知道说什么好。

“你是不是生我气了……我本来打算在走之前好好陪你几天，还有礼物给你……我什么情况都想到了，以为你会哭或者闹，唯独没想到你就这么消失了……”

“呵呵……”曾菲菲冷笑了一下，继续听着，直到赵克凡找不到可以说的话，只好道了晚安。

“茄子”在一旁留意曾菲菲的举动，看得出这是与她有所牵扯的男人打来的电话，心里滋味怪怪的。在皎洁的月光下，钱小美也看出曾菲菲的神色不对，于是凑了过来，摸了摸她的腿。曾菲菲与她对望了片刻，说：“现在也不早了，咱们回家吧，后天要交稿子呢！”钱小美点了点头，随后发动群众起身下山。

下山的过程中，“茄子”在曾菲菲身边陪伴了一段便不知去向，取而代之的是最早伸出援助之手的陈义刚。他的出现提醒了曾菲菲，脚趾已经被纤巧的鞋子磨得肿了起来，她咬着牙踩着一节又一节的台阶，只盼望快点回到山下。

陈义刚又用有力的臂膀扶住了她，让她感觉轻松了很多，她感激地看着他说：“真是太谢谢你了……”陈义刚笑了笑，目光很温和，曾菲菲内心一动，觉得这个男人的表情暖暖的，再看他中规中矩的相貌，脑子里闪现出“老公”二字。

她想，如果说一个男人长得很有“老公”相儿，估计就是这样吧，想到这里，她“扑哧”笑了一下。

“你笑什么呢？”陈义刚抓了抓头皮轻声问。曾菲菲摆了摆手说没事，陈义刚也没有再追问。

初次约会

当陈义刚出现在视野的时候，
她觉得眼前的画面很温馨，
一个很顺眼的男人，
面前摆着咖啡，
安然地翻阅着手中的杂志。

星期六的早上，曾菲菲罕见地在七点钟就起了床，平时她一般到十点才会自然醒。她站起身，打开窗帘，阳光瞬间照射进来，有点刺眼，但她还是在一片朝阳之下享受了一阵儿。身后调到震动的手机震动了一下，她于是回过头去拿起了手机，又是赵克凡。他的声音有点沙哑，低低的："菲菲，我一夜没睡，不知道是不是打扰你睡觉了，忍不住还是打给你了，这几天一直在想你。我想我是不是来上海来错了？或者我应该带你来。"

"我在北京好好的，去上海干吗？"曾菲菲说。

“我虽然是不想结婚的人，但是我还是很喜欢你的，你这种态度让我特别不舒服，我知道我不好，我也想忘掉你算了，既然你这么绝情，唉……”

曾菲菲一阵不悦：“你居然说我绝情？你规划你的人生，我就是一个陪你玩的过客，你还想我怎么样？你走了，我该痛不欲生？或者贱兮兮地跑到上海去找你，祈求你和我继续交往？”

“唉……我不是这个意思，我知道你生气，我也不好受……我下个月要去北京出差，到时候我们见面好好谈谈吧。”赵克凡急忙解释。

曾菲菲的心柔软了一下，慢悠悠地说：“再说吧……”

挂掉电话，她发了一会儿呆，然后环视四周，觉得自己该利用早上的时间打扫一下卫生，如果再不收拾，房间就要变成猪窝了。这几天太颓废，什么都是一塌糊涂的。一晃快到中午了，她叫了个外卖后登陆了 MSN，有了一个新联系人，没想到竟是昨夜一起爬香山的陈义刚，地址估计是钱小美给他的。

“还记得我吗？”他问。

“当然记得了，”曾菲菲说，“昨夜一起爬了香山，要不是你扶我，我的脚还不知道能不能坚持到下山呢！”

对方稍微停顿了一下，又问她“今天在忙什么？”

曾菲菲说“没什么事可忙，在家看看碟片”。

陈义刚说，“我今天在公司加班，中午请你吃个饭怎样？”

曾菲菲敏感地察觉到这个男人可能对她有点期待，她虽然觉得他不讨厌，但毕竟没有一见钟情的感觉。和不太熟的男人吃饭，她通常会觉得不自在，这种情况她更愿意喝咖啡。于是她说中午吃过饭了，如果可以，下午倒是可以喝咖啡。

他们约在了东环广场地下的咖啡厅，曾菲菲吃过午饭先小睡了一会儿。醒来的时候，房间里很安静，她听着墙上的石英钟滴答滴答地响着，发了一阵呆。为什么要赴这个男人的约会？喜欢他？说不上，但是他比最近这一打相亲的人看起来都顺眼一些。也许是可以消磨掉一些时光吧。

一个单身女子的闲暇时间总是大把大把的，曾菲菲并不清楚自己的立场到底是怎样的，反正已经答应了，就见吧。钱小美说过，凡事只要说了“反正”就有问题了，起码说明当事人是无奈的，不是很情愿。曾菲菲东一下西一下地想着，抬头一看钟，已经一点四十了。她与陈义刚约的是一点半，她赶忙一骨碌从床上爬起来，匆忙地收拾了一下自己，连跑带颠地出了门。

当跑到离咖啡厅十米远左右的时候，曾菲菲收住了脚步，为了能让自己看起来平静一点。虽然对方不是手拿水晶鞋的王子，但她也不能让自己看起来像个惊慌的灰姑娘，她得让奔跑中急度加速的心跳与呼吸恢复到常态，这样会显得体面些。

当陈义刚出现在视野的时候，她觉得眼前的画面很温馨，一个很顺眼的男人，面前摆着咖啡，安然地翻阅着手中的杂志。这一瞬间，曾菲菲竟有点喜欢这个男人了，因为以前她认识的多是飘忽不定的文艺青年或愤青，陈义刚看起来像个少见的正常男人。

“对不起，我来晚了……”曾菲菲边说边坐在了陈义刚的对面。这男人看到她来了，赶忙合上了杂志，面带笑容地说：“没事，没事，就是我咖啡要得有点早，好像有些凉了。”他边说边把桌上两大杯咖啡中的一杯递给曾菲菲。温度还可以，曾菲菲喝了一口，暗暗打量着陈义刚。虽然有了几次相亲经验，但是她依然不知道该说什么好。同时，她的脑子里又出现了赵克凡的影子，不由得叹了一口气。

陈义刚也不知道说什么好，听到曾菲菲叹气，一方面觉得奇怪，另一方面又有了话题，他问："怎么？有什么事情不开心吗？"曾菲菲连忙摇头，正想做解释，手机铃声响了起来。她赶忙打开手包去接，原来是钱小美，一句话都没说，钱小美就先哭了起来。

"怎么了？怎么了？别哭，亲爱的，慢慢说。"曾菲菲一阵紧张，陈义刚更是一头雾水，看着对方"嗯嗯啊啊"地应着，时不时还看自己一眼。

大概五分钟之后，曾菲菲挂掉了电话。她有点忧伤地看着陈义刚说："是钱小美打来的电话，她说你哥哥要和她分手。"

"啊！"陈义刚看起来是完全不知情，"昨天他们俩不是还好好的吗？爬完香山后还在一起。"

"是呀，这是怎么了？我很替她担心。"

"你们俩关系很不错吧，和钱小美？"陈义刚随便捡起一句话发问。

"嗯，她是我最好的女朋友。我，我一会儿想去看看她……"

陈义刚有点失望，他本来以为能和这个姑娘一起待一个下午，或者能延续到一起吃个晚饭呢。

"你能不能给你哥哥打个电话，问问他到底怎么了？钱小美特别难过，电话里一直哭。"

"哦……"陈义刚想了想，觉得这是哥哥的私事，本不该过问，但是一个刚结识的美女的要求，似乎又不那么容易拒绝。

少许纠结了一番，他还是拨通了陈义冰的电话。陈义冰先是非常意外，弟弟怎么会这么快知道这件事，当然他聪明的脑袋很快就想到憨憨的陈义刚可能约了钱小美的好友曾菲菲，而钱小美又是个搁不住事的女人，所以信息传播得快。他没有解释什么，只是笑着对弟弟说：“你就好好追那个姑娘吧，她看起来不错。我的事你就别管了，也不是头一次换女朋友了。”还没等陈义刚说话，他就收线了。

陈义刚没法给曾菲菲一个合理的解释。因为惦记着钱小美，曾菲菲和陈义刚坐了大约一个小时后就结束了约会，陈义刚把曾菲菲带到了钱小美所居住的小区门口后离开了。曾菲菲一口气跑到5层，气喘吁吁地去按钱小美的门铃。

门开了，钱小美赫然出现在门口，她一丝不挂的样子把曾菲菲吓了一跳。曾菲菲连忙把钱小美推到屋里，转身关上门，说：“你这是干吗呀？被人看到了怎么办？”钱小美呵呵一乐，说：“看到了又怎么样，我才不怕呢！我和那谁，昨天夜里还在楼道里做了爱，超级爽，就像电影《罗曼史》里那样……”在钱小美说话的时候，曾菲菲闻到了一股酒气，看来她在借酒浇愁，曾菲菲连忙扶着她到卧室，让她坐在床上。

谁知道钱小美根本坐不住，一下子就倒在床上，她肆无忌惮的姿势，让曾菲菲把她的下身看得一清二楚，实在有点难为情。她侧过身去，看到墙上的挂钩上有一件浴衣，赶紧拿下来给钱小美盖上，说：“我看你还是穿上点儿吧，你这屋子在阴面，小心着凉。”钱小美乖乖地坐了起来，默默地把浴衣穿好，系上带子后，又躺在了床上。

钱小美盯着天花板出了一会儿神，眼泪默默地掉了下来。曾菲菲看到她的样子跟着一阵心酸，不知说什么好。没过多久钱小美开始自言自语："就这么分了吧……分了就分了吧……昨天还好好的，今天一大早跟我说，想了一阵子了，觉得两个人还是不合适……屁话！"

曾菲菲坐在床沿上拍了拍她的腿，说："别难过了，这算什么呀？"说完这句话，赵克凡的身影又阴魂不散地出现在了她的脑海里。她不想把这种衰事和朋友说，没意思。

钱小美用手背抹了下眼泪，再次坐了起来，质问她："我以为通了电话你就会来看我呢？怎么这么半天？"

曾菲菲一低头，语气有点不好意思："陈义冰的弟弟请我喝咖啡。"

钱小美听了后，收起了愁容，使劲拍了一下她的肩膀，说："这家伙动作还真快，好事呀，你这小妖精，命就是比我好。"

"什么呀，八字还没一撇呢！"

钱小美酒意全无，很郑重地对曾菲菲说："这可是个靠谱男啊！你抓住了，过了这村可就没这店了。"

曾菲菲看了钱小美一眼，又看向另一边说："陈义刚，这个名字有点土，以后能带得出手吗？"

钱小美冲她翻了个白眼儿，说："你要嫁给名字呀还是怎么的？"

曾菲菲觉得心里暖暖的，刚刚失恋的钱小美还有余力关心她，她一把迎面搂住了钱小美，赵克凡的影子又出现了，她的眼泪竟然也下来了。

"你这是干吗？"钱小美不解地问。

曾菲菲有点哽咽，只说："没事，没事，其实我和你一样的。"

"呵呵！"钱小美缓缓地说："你怎么会和我一样呢？又多了个

精英追你……”

曾菲菲轻轻地说：“我还不如你呢！我经常笑你总把爱情放在嘴边，我以为我连爱情都不相信，怎么可能受伤呢？赵克凡准备离京的时候，我很生气，觉得这混蛋爱滚多远滚多远，我照样会过好自己的生活，甚至我闭关了半个月，以为能把他忘了，但是没有，我这才发现我其实是爱他的，虽然口头上我从来不承认，在他说爱我的时候，我最多说我也是……”

钱小美似乎是想转移话题，她说：“拥抱真是个奇怪的东西，两个人离得这么近，却看不见对方的表情。”

曾菲菲笑了一下，说：“是，我不想让你看见我的窘态，你太聪明了，我怕看你的眼睛。”

钱小美一把捉住了曾菲菲的肩，把她的身子向后推了一下，便看见了曾菲菲垂着眼睛流着泪的脸，她说：“你这是干什么呢？我是让你来安慰我的，你怎么又伤感起来了？我可没有多余的力量安慰你啊。”

“不是，不是。”曾菲菲连忙解释：“我只是想说我们是难兄难弟，并不是只有你失恋了，我也是。”

钱小美一笑，继续捉着她的肩，很有力地摇晃了一下，说：“我知道你的意思，我跟你说，你趁早把那个赵克凡忘了，这个陈义刚真的不错，是个做老公的好人选，你是个不会保护自己的女人，所以需要有个好男人照顾你，懂吗？”

“可你刚和陈义冰分手，我和他的弟弟……”钱小美打断了她的话，似乎是不想听到陈义冰的名字：“他们俩是两码事，你交往你的，不用管我。”“这……”曾菲菲还是有点犹豫。

钱小美又使劲摇了摇她的肩："你是我最好的朋友，我希望你过得好，听我的没错。"

曾菲菲再一次感到了钱小美的仗义，她又上前将头轻轻地放在钱小美的肩上说："如果你是男人多好呀……"

钱小美一撇嘴："好什么好？又没钱，又不帅，你嫁吗？"

曾菲菲深呼吸了一下："不嫁，做情人！"

钱小美使劲把曾菲菲推到一边，笑骂："你个死女人，真不靠谱！"

此时的陈义冰正在家闭门思过。对他来说，钱小美是个过于聪明的女人，她总能洞察到他的心思，比如昨天他多看了曾菲菲两眼，钱小美就旁敲侧击地开了他两句玩笑，这让他感觉很囧。虽然钱小美不是爱吃醋的女人，但是她总能看穿他，这对男人来说实在有点毛骨悚然。

这件事只是个导火索，陈义冰在与钱小美交往两个月的时候就已经想抽身了，现在延迟了一个月，终于有勇气提出来了。钱小美没有纠缠，这让他感觉她可能又看穿他的小心思了，没准在心里极度鄙视他呢，想到这儿，他直冒冷汗。同时，他又觉得挺对不起这姑娘的，自己的身上还有她的余温，胃里还有她削的苹果。但长痛不如短痛是人尽皆知的道理，他也只有狠狠心了，他相信钱小美这样的女人会用自己的智慧疗伤，用不了多久她就会恢复的。

颜良文丑

都说当代美女作家颜良文丑，
实际上，真正颜良的也很少见，
所以，曾菲菲每次在小圈子里露面，
都会受到男士们的爱戴。

生活总是在继续，谁都无法预料明天和今天会有什么不同，大多数人都会认为明天无非是今天的继续，就像时钟的指针，总是一圈一圈循规蹈矩地移动着。而变化有时候则是上苍给的意外礼物，让人的心再次跳动起来。

夜爬香山已经过去了十余天。陈义刚自打次日和曾菲菲喝了一次咖啡后，因为忙，一直没有再约，但常想起她，他已经习惯一登录MSN，就看看她在不在。

他身边并不缺姑娘，或者再进一步说，不缺漂亮姑娘。这个时代婚恋市场尤其对男人有利，好姑娘太多，主动的也很多，一个男人只要稍微有点事业，便不愁娶到性格好的漂亮女人。但是他一直与女人们保持着距离，已进入而立之年的陈义刚从来没在女人堆里打过滚儿，他希望自己的大部分时间能用在工作上。

不过现在，一直受到传统教育的他很想在一年内结婚，过一个正常男人的家庭生活。在见到曾菲菲之前，陈义刚已经有了三个人选：小空姐毛那那、唱片公司的企宣蒋玫与中翰出版社的魏彤。小空姐今年 20 岁，短发，性格有点像假小子，很有活力，是他一次陪客户的时候在唐会偶然认识的；蒋玫是一个哥们儿介绍的，也是他比较欣赏的一个，同样有在北京打拼的经历，让陈义刚觉得两个人是同类，但是比较有心计，这点不太喜欢；魏彤是做发行的，性格外向，很好相处，但是他觉得并不适合做老婆。

陈义刚回忆两次和曾菲菲相处的情形，完全猜不出她的心迹，她对自己是什么印象？不清楚。他犹豫着要不要再约她，眼前已经摆了三个女人可选，再添一个，是不是占用过多资源了？但是时隔几天，他依然有见她的欲望。正思忖着，曾菲菲在 MSN 上登录了，他有意识地拖延了几秒才发出信息，不想让对方感觉自己太迫切。

“忙吗？”他使用的是 MSN 上最常用的开场白。

曾菲菲回答：“在写稿子，有事吗？”

陈义刚觉得自己的心跳变得有点快，他干脆直接邀请：“晚上想请你吃饭，有空吗？”过了大约一分钟，他以为自己的邀请石沉大海了。

曾菲菲有了回音：“好呀，在东直门附近可以吗？我下午在那边参加一个会。”

“行呀，那就俏江南，你觉得怎样？”

“好呀，六点吧。”

“成！”

对完话，陈义刚觉得心情格外好，歪着嘴角笑了一下。办公室的门忽然开了，风风火火的毛那那拉着箱子走了进来，清脆的声音袭来：“老陈，我从成都回来了，过来看看你。”

陈义刚面对这个小女孩实在是没脾气，他一边让她坐下，一边说：“你过来怎么也不打个电话呀，万一我没在呢？”

毛那那一笑：“我也是顺路，你没在我就回家呗！”她一边说一边打开拉杆箱，拿出一个纸袋子扔给陈义刚：“这是我从飞机上拿下来的咖啡，你喝着玩吧。”

陈义刚说了声“谢谢”，便把纸袋子放到身后的柜子里。当他转过身来，毛那那已经安然地坐在了沙发上，陈义刚看看表，已经快五点了，如果路上堵车的话，他必须在五点二十之前离开公司，才能在六点之前到达东直门的俏江南，他心里希望毛那那尽快离开，但是这姑娘显然想在这儿坐一阵儿。

“我说，你刚下飞机是不是很累呀，早点回家休息吧。”陈义刚笑嘻嘻地说。

“怎么？轰我呀？”小空姐很敏感，斜睨着眼睛看他。

陈义刚是老实人，不大会撒谎，干脆直接说：“不是，不是，我本来该请你吃饭才对。只是不巧，我刚和一个朋友定了个约会，一会儿就要去了。”

“女人吧？”毛那那边说边诡异地看着他。陈义刚笑了笑，不置可否。“你到底喜欢什么样的姑娘呢？”毛那那问。

陈义刚想了想说："我也说不好，我就是想找个能尽快结婚的。"

"哈哈！"毛那那爽朗地一笑说："结婚？这算什么要求呀？我也想很快结婚呢！"

陈义刚头一低说："开玩笑，你才多大呀？"

"我越小你越赚呀，老大！现在有一批萝莉控男人，专门喜欢小自己很多的女人。"毛那那又乐了一阵儿，这让陈义刚觉得有点不自在，这个小女孩似乎总在逗弄他一般。

看到陈义刚没说话，毛那那站起身来，走到他跟前，看着他的眼睛轻声说："把那个约会推了吧，晚上陪我吃饭好了……"

因为两个人离得极近，陈义刚紧张起来，他有点口吃地说："这个……这不太合适吧。"没想到毛那那趁其不备，竟然"啵"地一声亲了他的脸一下，他的脸瞬间红了。"你这是干吗呀？真是！"陈义刚有点义正严词的味道。

毛那那又笑起来了："你怎么这么怕我呀？哈哈，我没开玩笑，我真的也想结婚了。"边说边又来挎陈义刚的胳臂，陈义刚像碰到了弹簧一般迅速跳开："别闹了啊，时间真的不早了，我得走了。"

毛那那有点沮丧，她撅起小嘴说："你这人真没劲，比我大那么多还这么不让我。"

陈义刚对于这句话完全摸不着头脑。

毛那那看他一副榆木疙瘩的样子，也觉得待下去没意思了。她提起拉杆箱向门口走去，走了两步又回过头来："你是不是特不自信呀？所以不敢惹我？"

陈义刚一边笑一边把她的头扳了回去，轻推了一下她的肩膀说：

“行了，大姐！别闹了，快回家休息吧……”

毛那那终于消失在公司的门口，陈义刚转身回来的时候，发现几个人正在笑，他对一个女职员吼了一声：“有什么可笑的呀！”那女子扑哧一乐，说：“陈总真有魅力，空姐都招来了！”“嗨！不就是小屁孩儿一个吗？”说完这话他转念一想，毛那那的突然袭击还是让他挺有面子的——人可真是虚荣的动物。

陈义刚看看时间不早，很快就收拾好东西出发了，最终先曾菲菲一步到达了俏江南，当曾菲菲出现在眼前的时候，他竟感到了一阵恍惚。显然，她今天做了精心的打扮，化了淡妆的曾菲菲颇有几分姿色。陈义刚站起身请她入座，动作略微有点慌忙。曾菲菲微笑着看他，他使劲定了定神，把菜单递给她，并为她倒了一杯菊花茶。

席间，曾菲菲发问：“钱小美说你没有女朋友是真的吗？”听到女朋友三个字，陈义刚眼前闪现出了陈珂的面容，接着他使劲摇了一下头，想把这个女人的影子抖开去：“没有呀，真的没有！”

曾菲菲觉得他的样子很有趣，扑哧一笑，接着问：“你不会这么大了，没交过女友吧？”

“哦，呵呵，交过的，去年分手了。”陈义刚下意识地低下了头，脸有点泛红，陈珂的脸庞又出现在脑海里。

曾菲菲见惯了脸皮厚的男人，偶尔遇到一个提到前女友这么失态的男人，还真是有点不适应，不知道说什么好，只好忙活自己手中的筷子，东一下西一下地往嘴里夹菜。

经曾菲菲的提醒，陈义刚想了一会儿往事，鬼使神差地问道：“你是什么星座的呢？”

“星座？我是巨蟹座，你也信星座吗？”

陈义刚又动容了一下，心想这辈子不会就栽在巨蟹女人手里了吧，他一笑：“呵呵，真巧，我前女友也是巨蟹，其实我挺怕巨蟹座的。”

“怎么会怕巨蟹呢？据说巨蟹是最善良的星座。”

陈义刚叹了一口气，用手抠了抠前额：“说来话长呀，以后有机会再给你讲吧。”

曾菲菲看他的反应，心底柔软了一下，这个男人好像有着一种类似于“纯洁”的特质。她劝他：“以前的事都过去了，掌握好以后就好。”说着，她又想起了赵克凡，于是心里暗骂了一句：“这厮真是阴魂不散。”

陈义刚抬眼看着曾菲菲，表情真诚地说：“嗯，过去的事也没什么了，如果我结婚了，肯定会对老婆好，我其实是个很负责很恋家的人。”对于这句话，陈义刚和曾菲菲两个人都不能确定它是不是希望发展关系的表白，只有相视一笑，然后各自低下了头。

曾菲菲觉得这顿饭吃得比先前的相亲餐舒服一些，没有彼此对家庭背景以及工作状况的冗长介绍，也没有无意义的标榜。出了餐厅的门，她深深地吸了一口晚间还算清爽的空气，身心愉悦。陈义刚表示要送她，曾菲菲没有拒绝。上了他的新君悦，陈义刚一边启动汽车，一边打开音乐，王菲轻柔的歌声飘了出来：“高架桥过去了，路口还有很多个，坐你开的车，听你听的歌，我们很快乐……”她想这歌怎么像是唱给他们听的。

很快，车子停到曾菲菲所住的小区门口，曾菲菲刚要打开车门，陈义刚忽然拉住了她的手。曾菲菲有点诧异地看着他，他想了想，说：

“我知道你可能是有故事的人……”

“有故事？”

“嗯，你眼睛里写着呢，不过这没关系，我只想知道，你现在想不想结婚，过正常的家庭生活？”

曾菲菲没想到对方忽然问这个：“我，我当然想结婚，我也不小了……”

陈义刚一笑：“那就好。其实我挺好奇的，为什么你这么漂亮的姑娘会单身？”

“你条件这么好，怎么也单身呢？”曾菲菲反问他。

“好吧……”陈义刚觉得打听一个女人的过去可能显得不大气，他看着曾菲菲光洁的脸和水汪汪的眼睛，竟然有了一点儿冲动，说：“我能亲亲你吗？”

“啊？”曾菲菲小声地表达诧异之情。

陈义刚移过上半身，双手轻轻地放在她的肩上，嘴唇在她的脸颊上轻轻地吻了一下。他的脸因为离得过近而变得模糊，因为这一吻的力度极其隐忍，曾菲菲的心竟然感觉暖暖的。

她想起第一次与赵克凡在一起的时候，自己硬生生地被对方按在了墙上，那重重的呼吸声，现在还记得起。陈义刚很快就回到了原位，低头不语。

曾菲菲温和地说：“我回去了。”

陈义刚点了点头，心里很期待她能请他上去喝杯茶。

“那好吧，谢谢你请我吃饭，回家路上开车当心点哦。”曾菲菲令人失望地下了车，转身关门的时候抬了一下手，亲切而礼貌地说了声“拜拜”，陈义刚也微笑着回礼，看着曾菲菲消失在楼门口后发动了引擎。

周末对于曾菲菲来说总是尤为寂寞，有无限的自由，自由得如同宇宙真空中的一颗行星，万年孤独。回到家呆了一会儿，听着时钟滴滴答答地作响，曾菲菲感到无聊至极，于是给钱小美拨了个电话。龙宽九段的歌曲播放了半天，对方才接了电话，环境非常乱。

“你在哪儿呢？”曾菲菲问。

钱小美哈哈一笑：“酒吧呢！怎么样，你也来玩吧？”

“我不想去，你来我家吧，一人在家实在没意思。”

“我不去，我正喝得高兴呢！”

“你和谁一起去的呀？在哪儿呢？”

“哦，夜梦呀，我一个人来玩，哈哈。”

“你自己去那儿多危险呀？”

“嗨！我们部门主任说了，我这种姿色，醉倒在大马路上都相当安全，哈哈。”

曾菲菲想了想自己也没什么事，不如去找钱小美，如果一会儿她喝醉了，没人管，还真是有点麻烦。

与此同时，陈义刚已经驾车行驶在三环路上，想起了自以为已经忘却了的场景。去年的那一天他只身去广州，下着小雨，他在女友陈珂的楼下按门铃，竟然没有人为他开门……想到这里，他的眼睛有点潮湿，为了转移注意力，他连忙又去想曾菲菲，她是北京女孩儿，她工作还不错，她比陈珂年轻，也比她漂亮。曾菲菲处处都比陈珂好，娶到她肯定比娶陈珂有面子的多，他在心里鼓励着自己一定要搞定她。

第二天一大早，钱小美在曾菲菲的床上醒来，屋里一点动静也没有。她叫了两声，发现曾菲菲没在，于是一骨碌起身，在屋子里蹿来蹿去，最后在客厅的沙发上找到了自己的包包。她赶紧从里面翻出烟和打火机，点燃一支，放在嘴里，吞云吐雾了一番，这时曾菲菲提着豆浆和油条进来了。

“呵！什么时候变贤惠了？”钱小美打趣道。

“当然是为了你，要是我一个人就不吃早饭了。快来，趁热！”曾菲菲一边招呼她，一边把油条放在盘子里。

钱小美继续靠在沙发上抽她的烟，同时笑吟吟地打量着她的闺蜜。

曾菲菲一抬眼说：“你干吗呢？过来呀，我说你能不能穿上衣服呀！”

钱小美嘿嘿一乐：“我不习惯在屋里穿外面的衣服。”

“真事儿，你这人。”曾菲菲转身到卧室的柜子里拨弄了一番，拿出一件白色的棉布睡袍扔给钱小美，钱小美欣然接受，把衣服穿好后，走到饭桌边上。

曾菲菲又开始批评她：“我说你昨晚够折腾的，要不是我在，你被哪个臭男人给背回家都不知道，怎么喝成那样！”

“车到山前必有路，说不定哪个好心人把我送回家呢！”

小钱美反驳，曾菲菲一撇嘴：“这个好心人就是我。我说你以后……”

“打住！”钱小美连忙举手求饶：“你别唠叨了，跟我小妈似的。”曾菲菲被她说的也觉得自己无趣，把下面的话咽了回去。

“你跟那个陈义刚怎样了？”钱小美转移了话题。

“没怎样，昨天见了一面，吃了个饭。”

“然后呢？别说然后你就找我去了。”

“就是找你去了呀。”

“你们两个真是面瓜，大好的周末就吃了个饭，然后散场？”

“那要怎样，我又不是他女友。”

“呵呵！”钱小美诡异地一笑：“我是盼着你早点嫁出去，你这性格，婆婆妈妈的，赶紧找一男人嫁了是正经。这个男人我有些了解，很适合当老公的。”

曾菲菲叹了一口气：“他要是能改一下名字就好了，真土……”

钱小美听了这话抓起一根油条丢向曾菲菲。惹得曾菲菲一声尖叫：“干吗！”

“打你这个只看得见芝麻，不要西瓜的脑残女。”

曾菲菲接住飞过来的油条，冲着钱小美使劲吐了吐舌头。

不知道为什么，曾菲菲总是喜欢与钱小美待在一起，最近两个人都有了些小心酸，但只要待在一起，就会暂时忘记。这个年代的姑娘必须有个闺蜜，因为闺蜜的好处是又贴心、又安全，是恋人的最好补充形式。而且对没有恋人的女人们来说，闺蜜简直就是业余生活的全部。谈心、一起吃饭、交换隐私，还可以手拉手一起逛街。

吃完早饭，两个女人去五道口服装市场乱逛了一会儿，东西没买什么，却照了几张大头贴回来。

中午，她们一边在拉面馆吃饭，一边欣赏着逛街的成果，喜出望外：“我一直都觉得大头贴上的人比用相机照出来的好看，你看咱俩都没化妆，照出来还挺有样儿的。”曾菲菲说。

“是呀，精度低点反而效果更好。”钱小美边说边拿出一张放满她们合影的贴：“不知道咱俩过几年还会不会有兴致这么合影呢！”

“这有什么？我们以后每年过来照一贴好了。一直拍到老。”曾菲菲说话的表情像个小姑娘。

钱小美笑她：“等你结婚了，可能就会逐渐把我这个闺中密友给忘了的……”

“不可能，我们什么时候都会是好朋友的，一直到老的那种。”曾菲菲瞪着眼睛认真地说。

钱小美看着她漂亮的脸，有点羡慕，又有点别的感觉，到底是什么感觉，她自己也说不清楚。

“对了！”曾菲菲忽然一抬头打乱了钱小美的小情绪：“你不是特喜欢那个叫裴彤的作家吗？”

“是呀？怎么！”

“明天有个朋友组织的聚会，他也来，我帮你问到他的联系方式怎样？”

“这样呀，我又不可能主动给他打电话……再说我只是喜欢他的文字和思维。”钱小美说。“打电话是有点奇怪，跟莫名狂热的粉丝似的，我帮你问他 MSN 好了。先网上聊呗，投脾气再见面。”

“行呀，行呀。”钱小美很随意地答应着，其实在她内心里，很期待能认识这个才子。

这些日子曾菲菲一直记挂着钱小美失恋那件事，别看钱小美老是嘻嘻哈哈的，实际上是内心超级敏感的人，否则就不会独自去买醉了。半个月来，曾菲菲一直想做点什么事，让她高兴起来。也许结识裴彤能够给她无聊的业余生活加一点亮色吧，但愿。

周日晚上六点，曾菲菲简单装扮了一下去参加小圈子的饭局，地点定在东直门的麻辣诱惑。在这里你完全感受不到经济危机的存在，人们照样大吃大喝，大大小小的餐厅生意依然好得很。

因为不着急，她并没有给组织者打电话，一进门便自顾自地找熟人，不多久就看到里侧的一桌有人站起身招呼她，那人就是饭局组织者欧阳赞，某杂志的生活栏目主编。

曾菲菲微笑着走了过去，向在座的人微微点头，她观察了一下，有几个人从前没有见过。她先找了个空座位坐下，欧阳赞连忙介绍："这是《特色》杂志的美女编辑曾菲菲，她在很多杂志上有专栏，笔名是'密斯毒'。菲菲，坐在你身边的就是大名鼎鼎的裴彤，你不是想向他约稿吗？正好今天认识一下。"

曾菲菲一侧目，看到身边坐着一个面目非常年轻的男子，带着一副很文艺范儿的黑框眼镜。

他微笑着和她打招呼："你好呀，久仰大名。"

她连忙回礼："我们这些不入流的小编辑哪能和你比呀，我有几个朋友非常喜欢你的文章！"

"哦，是吗？我是被生活所迫，写了几本无聊的畅销书而已，在中国码字的人其实就是弱势群体。"

隔着一个位子，有一个周刊的文娱记者说："做采编可真是没意思，每天写的内容就是为了让领导看着舒服，自己都不知道写的是什么？"

"可不是，其实做记者的和做小姐的本质一样，就是卖笑的。"

“嗨！生活不就这样？如果你改变不了被强奸的命运，那么就勇敢的享受吧。”另一个人接着话茬儿说。

曾菲菲不太喜欢这种悲观情绪的发泄，在她看来，世界上本来就没有绝对的公平之说，工作尽力，生活尽兴就好，抱怨有什么用？她想借此机会向裴彤约稿，于是侧目看他，没想到此人正目光炯炯地瞅着她。她顿感自己气场较弱，尴尬地笑了笑说：“你平时是不是有很多稿子要写，特别忙？”

“还好吧，你有什么需要我一定尽力。”裴彤很真诚地点了一下头。

“那太好了，你有那么多粉丝，我还怕你看不上我们的小庙呢!”

裴彤再次重重地点了下头：“咱能一桌上吃饭就是缘分，密斯毒，说话不用这么客气，有什么需要尽管说。”

曾菲菲想起了钱小美，她说：“对了，我有个女朋友很喜欢你，她是我约过的作者，文笔非常好，你有 MSN 吗？我希望你们能有机会交流。”裴彤呵呵一笑，问：“她漂亮吗？”

曾菲菲有点诧异，还没想好如何回答，裴彤赶紧追加了一句：“我开玩笑的，你告诉她好了。”

曾菲菲赶紧拿出随身带的小本记下了裴彤的 MSN 地址。当她把本子放回包里的时候，裴彤在她耳边轻轻地说了一句话：“哪天能单独约你吗？”曾菲菲被他那带有小毛刺的声音电了一小下，但却表现出没听出任何意味的样子，说：“行呀，行呀！”

“那明天怎样？”裴彤追问。

曾菲菲的笑容有点僵了，说：“我能把我的女朋友带上吗？我们请你喝茶。”

“我觉得还是你一个人来比较好。”

“我们去哪儿？”

“如果你没什么推荐，那就茶馆吧，我常去的一家。”

“可是我明天……”

“如果明天有事，就后天吧，现在是月中，你不会太忙的……”

“哦。”

“好吧，你要约稿，我们总得找时间沟通沟通不是吗？”

“嗯，那行吧。”

曾菲菲稀里糊涂地就与裴彤定下了第二次约会，都说当代美女作家颜良文丑，而实际上，真正颜良的也很少见，所以，曾菲菲每次在小圈子里露面，都会受到男士们的爱戴。久经沙场的她当然明白，裴彤不会仅仅是想写她的专题才约她。不过她可不是那种怕男人来惹的女人，兵来将挡，这年头谁也不会强暴了谁，除非是你情我愿的 SM 游戏。

如果一个女人把所有青睐她的男人拒之千里之外，那么她是没有未来的。曾菲菲既懂得享受男人们的好感，同时也知道如何让对方无从下手。

和蔼的南方老人

他们没想到儿子能找到这么漂亮的女朋友，
据说还是发表过很多文章的才女。
陈义刚父母的嘘寒问暖让曾菲菲感到很亲切，
他们看起来是规矩而善良的老人。

周一一大早，曾菲菲就接到两通电话，一个是钱小美，她说她在MSN上和裴彤聊了天，感觉很不错，而且他们互留了电话。另一个是陈义刚，说希望晚上一起吃饭。

在曾菲菲心里，陈义刚逐渐变得重要起来，目前已经成为她最想见的人，可能是因为他是她身边的男人里最靠谱的一个吧。她平躺在床上，仰面看了一阵儿天花板，想着陈义刚的面孔，期间又想起赵克凡，觉得自己是不是年纪大了，真的很想安定下来。

这一次见面，两人关系有了些进展，席间陈义刚又谈起了他的前女友，而且表示既然能说出来，这一段就算过去了。餐后，送曾菲菲到了楼门口，陈义刚奢着胆子吻了她的嘴，曾菲菲内心竟然小鹿乱撞了一阵，纠结着该推开他，还是让他吻，到底哪一种反应可以让两个人的关系更有前途。

陈义刚吻的时间并不长，但之后抱住了曾菲菲，沉默了一阵儿，他说："我想要个家，你觉得怎样？"

"哦，是吗？"曾菲菲应着。

"你想结婚吗？"陈义刚的问话有几分动情。

曾菲菲不由自主地"嗯"了一声。

"那我们结婚好吗？我现在和父母住在一起，我们过几天就去看房子，如果你想要100平的，我就买150平的，如果你想要150平的，我就买200平的。"

曾菲菲真的有点感动了，并不是为了房子本身，而是一个男人这么认真地计划娶她，他们才认识不到一个月。

"这么快？"她轻轻地嘟囔着，像是在问陈义刚，也像是在问自己。

"嗯，我想在今年之内结婚，最好在冬天之前。"

"为什么在冬天之前？"

"那样你还来得及穿婚纱。"

曾菲菲微笑着抬起头看他："你就那么确定想和我结婚？"

陈义刚认真地点点头："我觉得你很合我心意，我不想再费神找别人了。"说完他又搂住了曾菲菲。

"可我对你几乎一无所知。"她说。

"我非常简单，明天你见了我父母就知道了。"他说。

"明天？"曾菲菲对突如其来的快节奏有点迷茫。

“是呀！”陈义刚扶住她的肩说：“明天晚上来我家吃饭吧，怎样？”

曾菲菲想了一下，其实无妨，早点打探一下他的家庭状况可以提高效率，于是她答应了陈义刚的邀约，并笑着问他：“那我该穿成什么样子？你妈妈是不是喜欢保守的女孩子。”陈义刚也露出阳光的笑容：“我妈妈喜欢漂亮的，你就穿最漂亮的衣服吧。”

曾菲菲差点忘了，裴彤曾经约她本周二下午见面。接近中午的时候，裴彤打来电话，告诉她茶馆的具体位置，这让没有车子开的曾菲菲有点为难，打扮得太漂亮会让裴彤误会，太普通又会在晚上去陈义刚家的时候丢分。最终曾菲菲还是略微修饰了一下，当她袅娜的身影出现在裴彤眼前的时候，他不由地眼前一亮，裤头一热。起身打招呼的时候，差点把茶杯打翻。

曾菲菲是编辑，与各路作者沟通也是她的工作内容之一。每一次呈现在杂志里的文字，虽然署名是作者本人，其中也有曾菲菲的创意。为了让作品呈现出与自己专题一致的调性，沟通则显得尤为重要。

能约到裴彤的稿子是一件很有面子的事，所以曾菲菲愿意大老远地跑到他家门口的茶馆来赴约，并且准备自己买单请他喝茶。杂志社的报销程序很繁琐，她常常觉得报销个茶水钱所需的精力太巨大，所以常常自己消化。

但是，裴彤的醉翁之意显然不在稿子或者茶上，他向来以“直接”闻名，对于喜欢的姑娘会直接邀约，同时也落下个不虚伪的名声。他很喜欢曾菲菲，在他的社交圈中文艺女青年也有，才女更是比比皆是，但是像曾菲菲这种既有女人味又有绝好身材的可人却不多，而且他一直很喜欢北京女孩身上的那种坦诚与爽快，“不装”是他欣赏女人的一个重要标准。

于是，这个会面在裴彤荷尔蒙分泌不正常的情况下，并没有说上几句正经事。两杯茶进肚后，裴彤先是坐在了曾菲菲的同侧，然后便直勾勾地看着她。曾菲菲并没有因此而讨厌他，反而觉得比道貌岸然好，既然他喜欢直接的，你也可以直接地拒绝回去，大家都免得尴尬。

“我很想知道你是个什么样的女人？为了结婚而结婚型的？为优越生活找大款型的？还是享受人生型的？你该好好使用自己的青春，尽可能地让自己快乐，等你老了，想明白了，一切都晚了。”裴彤轻柔的声音搞得曾菲菲周身麻酥酥的，不敢去看他的眼睛。

“其实，我以前画过画，你的……比例非常好，我很希望能更彻底地欣赏一下。”裴彤继续微笑着说，仿佛确定她会中招一般自信，同时将右手放在她的左手上等待答复。

曾菲菲想到赵克凡也曾经赞扬过她的好身材。再想到昨晚的陈义刚，这个男人给她带来了一种前所未有的踏实感。比较而言，眼前这种玩弄荷尔蒙的游戏，她再也没兴趣了。

她抽出了自己的手，说：“我很喜欢你的文字，真的非常好，虽然我的思维能力没有你那么出色，但是我也挺想和你成为朋友的，你是良师益友型的男人，很难得。”裴彤笑了笑，用那只落了空的手挠了挠头，说：“好吧，有点可惜，和美女在一起，却只能坐而论道。”曾菲菲看了看腕表，已经四点多了，她不想让陈义刚知道她下午和别的男人在喝茶，于是决定主动去公司找他。

分手的时候，裴彤很遗憾，他说这次回北京只能待几天，马上就要去厦门写小说了，寂寞无限。曾菲菲说："你干吗不约一下钱小美呢？她挺聪明的，你们肯定聊得来。"她这么说绝对是出于好心，根本没想不到这一举动会给她和钱小美的关系造成影响。

裴彤说："你真的想让我去找她？"

曾菲菲说："是呀。"他笑了笑说好吧，只好放她走了。

曾菲菲刚出茶馆不久，陈义刚就打电话来了，问一会儿去什么地方接她。她说想去公司找他，向陈义刚要地址。不到半个小时的功夫，曾菲菲便到了陈义刚的办公室，不过办公室里除了陈义刚，还有一个短发的女人，这个女人就是小空姐毛那那。

曾菲菲差点像林黛玉一般酸酸地说上一句"我来得不巧了"，但还是忍住了。她默默地走进来，微笑着看陈义刚。陈义刚见她来了，连忙起身给两个女人做介绍："这位是毛那那，国航的空姐，这位是曾菲菲，我的朋友。"曾菲菲在心里皱了一下眉头，想什么叫"我的朋友"，凡是认识的人都可以是"我的朋友"。

毛那那看起来很有活力，她主动伸出手给曾菲菲，曾菲菲轻轻地与她握了一下，然后笑着对陈义刚说："没想到你的生意都做到航空公司去了！"还没等陈义刚说话，毛那那就急着解释："不是的，我们不是工作关系，我们也是朋友。"陈义刚一听这话，有点紧张，不经意间挠了挠头。

办公室里的气场有点异样了，陈义刚看了看腕表，已经五点半了，可以下班了。于是对毛那那说："那那，时间不早了，公司要下班了，你先回家吧。”小空姐点了点头，看起来不是那么高兴：“好吧，那我走了。”说完就出去了。

不多久，曾菲菲与陈义刚一起下了楼，曾菲菲坐在副驾驶上沉默了一阵儿，虽然她没确定成为陈义刚的女朋友，但是，看到他办公室里出现其他女人，还是会不自在。陈义刚有意不向她解释，看着她吃醋的样子觉得有趣。

不过这么沉默下去不利于一会儿的家长见面会，所以他还是跟曾菲菲说起了毛那那：“刚才那个小空姐对我来说就是个小孩子，完全不可能的。”

曾菲菲瞟他一眼：“你不用跟我解释，你有交友自由，而且，我还不是你女朋友。”

陈义刚伸出右手捏住曾菲菲的手说：“我们不是都要结婚了吗？”

“我还没答应呢！”

“好，你再想几天，不过很多女人在惦记我，你可不要错过时机哦。”

曾菲菲“哼”了一声，说：“你臭美！”心里却比刚才舒服了些。

陈妈妈与陈爸爸都是十分和蔼的南方人，在曾菲菲没进门之前就已经准备了一大桌子菜。看到曾菲菲，两位老人非常高兴，他们没想到儿子能找到这么漂亮的女朋友，据说还是发表过很多文章的才女。陈义刚父母的嘘寒问暖让曾菲菲感到很亲切，他们看起来是规矩而善良的老人，让她想起了自己的父母，气质上有些类似。正当大家边吃饭边闲聊的时候，陈义刚的哥哥陈义冰推门进来了。

陈义冰事先并不知道家里有客人，他晚上来这里吃喝，从来都不打招呼的。看到曾菲菲来了，他先愣了一下，但很快就自然地打招呼：

“哟，来客人了呀。”曾菲菲的心情受了点干扰，皮笑肉不笑地回应了一下。她并不了解陈义冰的为人，但是钱小美最近状态不太好是这个人造成的，所以她不想与他多话。

陈义冰的到来多少让气氛有了些尴尬，当然陈爸爸陈妈妈是感觉不出来的，他们甚至不知道有个叫钱小美的姑娘存在过。穿插于这顿饭之间的话题进展迅速，两位家长先是问了问曾菲菲的家庭状况，之后就谈到了检查身体、买婚戒、办婚礼的事。虽然曾菲菲觉得他们是很靠谱的家长，从而觉得陈义刚也坏不到哪儿去，但是这么大的事在第一次见面的饭桌上就有了这么突飞猛进的发展，还是让她颇感意外。

晚饭后，陈义冰很知趣地走了，自始至终没有提钱小美。另外，他也要提早回去做准备，因为第二天就要去上海出差了，他对此次行程充满期待，因为他和一个美女网友约定在上海相见，而且对方坚定地说自己是百分百美女。

两位老人又与曾菲菲闲扯了一阵儿，热情得让陈义刚都有点意外，待到九点，陈义刚说该送曾菲菲回家了。陈妈妈连忙阻拦，说时间不早了，干脆就别走了。曾菲菲一愣，这是什么意思呀？还没等她应对，陈妈妈已经挽起她的手，把她带到了一间卧室，指着一张两米宽的大床说：“床单和被罩都是我刚刚换的，你安心住下吧。”曾菲菲一时不知道该说什么好，陈义刚连忙过来解围，拉过曾菲菲并坚决要送她回家，陈妈妈这才作罢。出了陈义刚的家门，曾菲菲想起刚才的情景觉得好笑。

“你笑什么呀？”陈义刚问她。

“你妈妈似乎很怕你打一辈子光棍呀。”曾菲菲有点嘲笑意味地看着他，像是在挑衅。

陈义刚一把拉过她，把她搂在怀里说："我们结婚吧！怎么样？"

"结婚？我们住哪儿？"

"买房子，明天我们就去看房子。"

"太快了吧！"

"不快，我等了三十年了。"

"这就结婚了吗？太不浪漫了。"

"那我们明天先去买钻戒，戒指的尺寸还要你试过才行。"

"啊……"曾菲菲看着他，觉得像做梦一样，一个多月以来，她见过的男人可能有一打了吧，这么真诚的，只有眼前这一个。

一阵微风吹过，曾菲菲的头发柔软地飘动着，从感官上来讲，陈义刚真是很喜欢这个女人，而且她的一切背景都让他觉得他该娶这个女人，爱还是不爱，他这个年龄的男人根本不会去想。

"可是，我一点都不了解你。"曾菲菲说着和上次见面一样的话。

"那给你一个月的时间好了。"陈义刚边说边启动汽车，他的语气不由分说，曾菲菲没有再接茬，她脑子里又闪现了一下赵克凡的影子，还有那些与她相过亲的男人们。

与钱小美分手之后，陈义冰一直都觉得无聊，他是个双子座男人，本来就耐不住寂寞，工作虽然忙，但夜晚总要来临，孤寂感时时闪现。为了消除寂寞，他和几个前女友联络了一遍，包括钱小美，竟没人愿意理他，甚至陪他吃个饭都不愿意。其中有一个叫叶子的，说最近注册了个婚恋网的会员，一周相亲两次，正乐此不疲地选择结婚对象呢！

网聊了十年的陈义冰觉得这个方法不错，于是向叶子要了婚恋网的地址，也想从中捞个既漂亮又靠谱的美女试试。

因为没有付费，只能查看前二十页姑娘的信息，没有照片的先 Pass 掉，不漂亮的再 Pass 掉，几分钟就浏览完了。只有两个姑娘比较令他满意，可惜一个在上海，一个在广州，想起过几天要去上海出差，陈义冰决定先勾搭上海姑娘。于是先用网络语言与之挤眉弄眼，再着重说明了一下自己的经济实力，特别是有一处房产，最后留下 MSN。连续两天没有新联系人上线，他干脆把 MSN 的签名改为："我欲爆发，丫却无声。"

不过那姑娘在三天后终于出现了，网名"上海玫瑰"，陈义冰跟她由浅入深地聊着，先说兴趣爱好，再讲生活品质，期间不忘鼓励她发几张照片过来，但那姑娘只让他去交友网站看她那张注册的小照片，怎么也不肯发其他的过来。陈义冰想这样也好，矜持点儿的女孩子才适合当女友，单纯为了猎艳，早去酒吧了。

没几天，他们就谈到了各自的世界观、价值观，透着全方位的合适。前天他说了要去上海出差，想见面，她同意了。于是再次要求她发张大照片过来，以免见面时出差错，她说："没关系，你把酒店房间告诉我，我去找你。"陈义冰一阵欣喜，也许看着合适就可以直入主题了。最后半开玩笑地问她："万一你不是美女怎么办？我可是要娶美女做老婆的。"她说："你放心好了，我向你保证是百分之一百的美女。"

陈义冰留下了美女的手机号码，飞机刚一落地他就发短信给她，说晚上约见，她爽快地答应了。到金茂大厦订好房间，他便把房间号告诉她，她回：晚上八点半到，你请客。陈义冰乐颠颠地答应了。

忙完公务，陈义冰就到酒店等待，从七点半开始，便心神不宁了，想她的样貌气质到底像胡可、舒淇还是徐若瑄。为了让自己看起来干净而有魅力，他特意提前洗了澡、喷了阿玛尼的香水。躺在床上，继续浮想联翩，门铃响了。陈义冰故作镇定地问："谁呀？"一个温柔的女生说："是我呀！上海玫瑰，我们约好的。"陈义冰起身，先照了五秒钟镜子，然后去开门。一个真正的美女站在门口，她摆摆手说："你好呀！"他心跳加速："你好，你好，请进！"她点点头，又对着旁边说："进去吧。"

陈义冰觉得纳闷儿，还没反应过来，一个小个子大头的姑娘突然出现在他面前说："你好！"她后面还跟着个干瘦的，再后面还有个肥胖的、高得像篮球运动员的、脸上有一层青春痘的，陈义冰数了数，一共有十个相貌怪异的姑娘，她们鱼贯而入，都热情地向他问好，上海玫瑰最后一个带着笑容进来。

陈义冰也顾不上是初次相见了，迅速把她拉进洗手间。"你这是什么意思？"姑娘一笑："你不是想要百分百美女吗？她们一人也就算百分之十美女，加起来正好百分之百。"陈义冰立马颓了。

"你怕我们吃穷你吗？"美女斜睨着眼睛看他，陈义冰连忙说："不，不，不能。"心里暗暗叫苦，觉得现在的女孩子真不是好惹的，望着眼前的一排百分百美女，他想用一梭子子弹结果了那十位……

这是我们最后一次

曾菲菲在穿衣服的时候，
赵克凡从后面抱住她，
使得她周身暖融融的，
她想起歌德说过的话，
通往女人心灵的通道就是阴道。

越来越多的人在城市间飞来飞去，去异地出差是白领、金领、粉领们的家常便饭。比陈义冰去上海约见百分百美女晚不了几天，陈义刚飞到深圳与一个代理商谈合作。从得知要去深圳的那一天，他的内心就纠结着，要不要去见一见青梅竹马的陈珂，直到飞机降落到深圳机场，他还没有想好。

几乎是同一时间，赵克凡到了北京，他所供职的时装品牌准备在东方广场与金融街购物中心开两家店。他刚下飞机就给曾菲菲打了电话。这一次曾菲菲没有再挂断他的电话，她想自己或许要结婚了，不妨再见见这个伤了她的男人，她一再告诫自己要从容，要从气势上彻底击倒他。其实有一根神经，她一直不敢触动，或许她还是很爱赵克凡的，所以才一心想要向他证明，没了他，她会活得更好。

是呀，没有他真的活得很好，起码并没有更差。曾菲菲窝在客厅的沙发里，发着呆，想起了与赵克凡第一次约会的景象。当然这并不是他们第一次见面，第一次见面是在一个女朋友组织的饭局上，那女孩自己在网上弄了个单身俱乐部，没事就会约上一些好朋友去吃喝或者 KTV，因为她自己是单身，又喜欢玩儿，办俱乐部的初衷是为了填补寂寞，同时希望找到自己的归宿。

两年间，新结交的异性朋友成堆，而且经常有人约她晚餐或去各种会所娱乐、宵夜。她开始觉得很快乐，但很快就发现，那些约她的人兴趣并不在她身上，而是希望她能介绍既漂亮又靠谱的姑娘给他们，几乎所有的男人都把她当中介，类似于夜总会里的“妈咪”，这种领悟很让人沮丧。此女一气之下把俱乐部关闭了，曾菲菲与赵克凡的相识在此之前，真可谓“缘，妙不可言”。

喜欢曾菲菲的人并不少，但是没有几个男人会真的来惹她。一方面，她矜持，这使得一些想玩一夜情的人不敢开口。另一方面，她看起来有点傲慢势利，一些想结婚的男人担心自己经济能力不够强，满足不了她。赵克凡可不管那一套，他觉得这个女人能给他带来创作的灵感，他需要她，那时候他并没有想到“爱”这个字。

当曾菲菲婀娜的身姿出现在他公寓的时候，他迫不及待地抱紧她，他们一下子离得那么近，她头发的味道，她身上的味道，没有哪一个细节是他不喜欢的。

“大哥，我是来拿杂志的，你以为我是来干吗的？”曾菲菲故作镇定地推他，但怎么也推不开，她感觉有点热了，随着他一下一下逗弄般地舔她的耳朵，她的身体要着火了。她无力地抬头看着他，理智在与被撩拨起来的激情作斗争：“你放开我吧，这样不好……”

“这有什么不好？你未嫁我未娶的，我们两情相悦……”

曾菲菲做最后的努力：“这样不行，我认真的……”可当赵克凡真的放开她的时候，她竟然有点失望……

曾菲菲正想着两年前的那一幕，门铃响了，她甩了甩头，去开门。

一脸快乐的钱小美闪进房内：“你这几天是不是又在家宅上了，叫你几次都不出来。”

“哦，天逐渐冷了，我当然不爱出门了。”

“这才 10 月，算得上冷吗？”

钱小美自己从鞋柜里找出拖鞋换上，一转身紧紧抱住了曾菲菲。

“你这是怎么了？”曾菲菲觉得她忽然的亲密很意外。

“你知道吗？裴彤约我了，他在我那儿住了两天，今天一早才依依不舍地去了厦门。”

“是吗？他人怎么样？”

钱小美放开曾菲菲，原地转了一个圈，说：“他不像他的年龄那么成熟，在我面前，我觉得他像个孩子一样无助，软弱，一脸的纯真。”

“哦……”曾菲菲看着钱小美兴奋的样子，觉得她好像又坠入情网了，她想钱小美这姑娘哪儿都好，就是对付男人这一点，太实在了。

她让钱小美在沙发上坐会儿，自己去厨房泡茶，她知道钱小美喜欢红茶，所以家里一直备着立顿红茶，她自己是从来不喝这种茶的。看起来简陋的茶叶包，放在晶莹的玻璃茶杯中，一浸泡，透明的水立刻变成琥珀色。

钱小美在客厅找来一张CD听，悠扬的音乐声传到曾菲菲的耳朵里，让她想起了《一个陌生女人的来信》中那个被爱情负了一生的可怜女人，不由得怜惜起钱小美来，她把茶端出来，放在钱小美眼前，轻轻地说："喝吧。"

钱小美笑着看她："怎么，你好像兴致不高，不为我高兴？"

"你高兴就得了呗。"曾菲菲摸了一下她的头发，坐在她身边，仰望着天花板。

"你心里有事儿吧？"钱小美推了一下曾菲菲。

曾菲菲叹了口气说："陈义刚出差去深圳了，赵克凡出差来北京了，几乎同时。"

"呵呵，够巧。你想见他？"

"嗯，如果我不见，好像在说我依然恨他，等于承认我爱他，我可不想让他臭美下去。"

"见了又怎样？就能证明你不爱他了？万一你又被他打动了，那你的结婚计划不是泡汤了吗？"

"不会的。你能不能陪我去见他？"

"不能！"钱小美的回答一点商量余地都没有。

"你最好了，陪我去吧……"曾菲菲想磨一磨她。

钱小美干脆把她的手拿开："我不是你妈，老大！有些事你必须自己面对！”

陈义刚最终还是去见了陈珂，之前的纠结只是一个过程，到了这个藏着他们往事的城市，他不可能不去见她的。离上一次来深圳过了一年的时间，在办公务的时候，他竟然会有点心神不宁，在去餐厅的路上，一想到马上就要见到陈珂，他的心狂跳不止。

陈珂静静地坐在餐厅的窗边等他，就像凯瑟琳·德纳芙那般淡定。从前，只要她出现在他面前，陈义刚就抑制不住地狂奔过去。但是时过境迁，今天，他只能慢慢地走过去，坐在她对面的那一刻，他有意识地拿曾菲菲与陈珂进行了一番对比，两个人的脸蛋不相上下，可能在别人眼里，曾菲菲还要漂亮一点儿，身材上来看，陈珂算是匀称的，曾菲菲可是绝好。不过，陈珂的皮肤很好，吹弹即破，他还没脱过曾菲菲的衣服，暂时无法比较。

“你来了？”陈珂对他微笑着，没有半点的不自然。

陈义刚点点头：“你还好吗？”

出乎他的意料，她居然说：“不好，一点也不好。”

“呵呵！”陈义刚一笑：“我以为你快和你的上司结婚了呢？”

“不……不会的。”陈珂说着，脸上竟然划过一丝伤痛，这让他有点不自在。

他想问问她为什么不会，但是又觉得自己多事了，这个女人已经和他没有关系了。

想当年，陈珂坚持要在深圳这所学校里教书，陈义刚不惜放弃自己在北京的事业，准备到深圳从零开始。他本来想给她一个惊喜，坐飞机来深圳找她，结果门铃按了半天，门没有开。十分钟后，陈珂的系主任从她的房间里出来了，这是他从来没有想过的事，简直像电视剧一样遥远。

“你还恨我是吗？”陈珂的语气很温和，陈义刚听不出有悔恨还是其他意味。

陈义刚摇了摇头：“不了，一切都过去了。我早就不想了。”

“哦。”陈珂轻轻地应了一声，便把菜单递给他：“你看看，想吃什么？”

陈义刚又推还给她：“你看着点吧，我都行。”

陈珂轻轻地一笑：“你和以前不太一样了，以前每次都是你抢着要点自己喜欢的，像个孩子一样。”

陈义刚低下了头，竟然有点伤感，他尽量控制着自己的情绪，没有去说什么动情的话。

陈珂问他：“你现在的女朋友是做哪一行的？”

陈义刚答：“她是个北京姑娘，做编辑的。”

“哦，真为你高兴。”

陈义刚又点了一下头，说：“她是挺好的，人挺单纯，也挺漂亮的。”

陈珂叹了一口气，靠在椅子上说：“北京姑娘不比我们呀，我们这些小城市出来打拼的人，不免要复杂功利一点儿，我们是从小穷怕了的。”

陈义刚正想再说些什么，陈珂举手叫侍者过来点餐，他干脆就住嘴了。

这顿晚餐，两个人吃得客客气气，陈珂依然贴心地为陈义刚点了农家小炒肉，但同样的菜，今天吃起来却没有什么滋味。饭后，陈珂并没有邀请他回家坐坐，他自然也没有要求，两个人在餐厅门口互相说了几句客气话，氛围疑似两个初次见面相亲的大龄男女青年。再待下去也没什么意思，陈义刚干脆告辞，并举手叫了出租车。

坐在车上，陈义刚思绪万千，毕竟他们异地恋了八年，有一段时间，他每周五都会飞深圳，周日晚上再飞回北京，每个周一，他都盼望着周五。

正想着往事，陈义刚的手机收到一条陈珂发来的短信："听到你过得不错，我很为你高兴。"陈义刚想了想回了一句："希望你能尽快找到一个适合的人结婚，你也不小了。"手机很快又响了一声，陈珂回："和你结婚，还来得及吗？"陈义刚反复看着这句话，竟然很动容，他从前多么想娶这个女人，她一拖再拖，而后，她又是多么严重地伤害了他，现在她终于肯嫁了。

他还有点爱她，也恨她，以前他眼里只有她，而分手后，他才发现自己其实是很多女人眼中老公的合适人选，他无数次报复性地对着镜子说："陈珂呀，你算个屁！"但此刻看到这句示弱的短信息，他竟恨不起来了。

陈义刚反复琢磨着，输入到手机的信息写了又删，删了又写，终于发出一句话："可是，我已经有女朋友了呀。"信息一发出，他又后悔，觉得不妥，会伤到她。他焦急地等待着陈珂的回复，短信声一分钟以后响起，他连忙去看，是这样一句话："没事，我开玩笑的。明天可能下雨，出门前做好准备吧。"陈义刚一个字一个字反复地看，生怕漏掉什么似的，看着看着，他的眼前竟模糊了，不多会儿，两行泪跟着落了下来。

曾菲菲此刻正和赵克凡一起泡酒吧，就是他们两个月前分手的那家。赵克凡一直拉着她的手不放，生怕她再消失。“你这是干吗呀?”曾菲菲甩不开他的手，在强悍的音乐声中对他喊着。赵克凡不说话，只含情脉脉地看着她，他的眼睛有一种魔力，有点像意大利男人的眼睛，剔透中带有一丝忧郁。

曾菲菲又使劲甩了一下他的手，甚至想去狠狠地咬一口，赵克凡却一用力把她搂在怀里，他嘴里嘟囔着什么，她听不清。他干脆用力拥着她往外走，她没有太反抗，酒精的作用让她感到脚软软的，身上热热的。到了门口，赵克凡一抬手就叫到一辆出租，他把曾菲菲塞进后座，自己也跟着上去。

赵克凡的公寓离三里屯很近，几分钟就到了，曾菲菲在迷乱中被赵克凡带进了电梯，他把她按在镜子一般的墙壁上使劲地吻。待到电梯门开了，他干脆一把抱起她，跟跄着向自己的房门走去。掏钥匙的时候由于重心不稳，两个人双双摔在地上，曾菲菲骂他：“干什么你?想摔死我呀。”

门开了，赵克凡又弯腰抱起她，先把她放在卧室的大床上，并温柔地帮她把鞋子脱掉，然后再折回去关门。“你这混蛋，你想干吗?”曾菲菲边说边爬了起来，却被回到房间的赵克凡再一次放倒。“都是我不好，是我不好……我错了。”他一边承认错误一边吻她，同时温柔地褪掉她的衣服。

“你别动我!”曾菲菲推他：“我要结婚了!”

赵克凡像被电击中了一样，突然间呆在那里，“结婚？和谁？我们刚分开两个月。”

“你管得着吗？和你有关系吗？”曾菲菲笑着问他。

“你不能为了和我赌气，就对自己这么不负责任，菲菲。我是不适合结婚，但是我爱你，你是我的亲人，你这么突然就要嫁人，我很担心。”

曾菲菲衣衫不整地平躺在床上，看着天花板，并不理他。

“你不值得这么恨我的，菲菲。”赵克凡继续说着，一把把她拉起来揽在怀里，抚摸着她的头发。

曾菲菲又闻到熟悉的体味，竟鬼使神差一般，也抱紧了他，紧得指甲都要嵌进他后背的肉里面。隔着两个人的皮肤，曾菲菲的心脏与赵克凡的心脏交错着跳动，好像要尽快与对方取得一致一样。她强忍住眼泪，闭上眼睛对他说：“我的未婚夫人很好，很靠谱，拯救我于水深火热之中，他比你好得多。”

“你们早就认识？”他问。

“不，刚认识。”她慢悠悠地说。

“那你怎么能肯定他好呢？傻孩子。都怪我，没有管好你。”

曾菲菲更加用力，后背的疼痛促使他再次把她放倒，看到她湿润的眼神，忍不住再一次欲火中烧，他不由分说，狠狠地重重地进入了她。曾菲菲一声尖叫划破夜空，他在她脸上的每一个角落疯狂地吻着，一种世界就要毁灭的感觉鼓动他要用尽自己所有的力气对付眼前这个女人。

其实曾菲菲并不是一个在床上很骚的女人，即使在他们交往过程中赵克凡也偷过腥，他一直不明白曾菲菲到底有何魅力让他如此不舍，在上海的这两个月，他几乎天天都能够想到她在他身子下面时的眼神，以及娇滴滴的呻吟声，今天再次碰到她的身体，就像久旱逢甘露那样让人兴奋。

“你知道吗？这些天我一直在诅咒你……”他两只手握着曾菲菲的小脸蛋儿对她说。

“你诅咒我？”曾菲菲一边承受着他的冲击，一边低声问，此时她没有力气恨他了。

“是呀，你一定是妖孽转世，你这个坏东西，快毁了我了知道吗？我天天脑子里都是你，不诅咒你怎么办？我今天一定要惩罚你，惩罚你一辈子做我的女人，我的奴隶！”赵克凡说到动情处竟然揪住了曾菲菲的头发，这让曾菲菲不由得“啊”了一声……

第二天一早，一切都平静下来了，高级公寓的窗户隔音很好，街上的声音几乎听不到。

曾菲菲在穿衣服的时候，赵克凡从后面抱住她，使得她周身暖融融的，她想起歌德说过的话，通往女人心灵的通道就是阴道。经过这一夜，她的身心又被赵克凡占据了，差点就放弃了她的结婚理想。

“这是我们之间最后一次。”最终理智战胜情感，曾菲菲一边说一边做了个深呼吸，并竭力忍住即将落下来的泪水。

“我们是天造地设的一对儿，你不觉得吗？”赵克凡的脸在她身上蹭着，忽然说，“你跟我去上海吧！”

曾菲菲回过头看他：“我没事去什么上海？”

“和我一起生活，我，我也可以跟你结婚的，我想了一夜。”

曾菲菲“哼”了一声，“你呼噜声震天响，用什么想了一夜呀？”

“我真的爱你，离开你的两个月，我才醒悟过来，要么你来上海，要么我申请来做北京办事处的头儿，我到这边来陪你。”

曾菲菲看着他，慈悲心油然而生，正如他说的，他是个不适合结婚的人，即使他们相爱。所以她不应该禁锢他，有些人天生就该自由一辈子，比如赵克凡。她抬起手来，摸了摸他的脸：“别想结婚的事了，我需要，但你不需要，真的结了婚，你以后也会后悔的。”

赵克凡又伸过手抱紧她：“可是我受不了别的男人拥有你。你们真的要结婚了吗？什么时候？”

“下个月！”她脱口而出。赵克凡突然话锋一转，让曾菲菲心里又一阵儿不爽。

“唉……”赵克凡往后一仰，倒在床上。

“怎么？你会来参加婚礼吗？”曾菲菲问他。

“去！我一定要去，我要看看那孙子是不是三头六臂，抢了我心爱的人……”

曾菲菲起身一边向门口走去一边说：“真是你的东西，没人能抢得走。”她心里想，这个男人始终是自私的，他只想要她的身体，现在被逼到这个份儿了，他还是没勇气娶她，因此离开他是对的。

赵克凡在她身后说：“我这次要在北京呆两个月，亲爱的……”曾菲菲继续走她的路，到了门口，赵克凡突然从床上跳了下来，鞋子也没顾上穿，急速追上她，并从身后搂住曾菲菲的腰，他喃喃地说：“我还是受不了你要和别人结婚这个事，菲菲，你别离开我吧……求你了……”曾菲菲有点难过，但是她还是推开了他的手，打开大门走了出去，没有回头看他。

北京的深秋，多风，曾菲菲刚出楼门，冷空气扑面而来，她不禁打了一个寒战，昨夜躺在男人怀抱里的温暖，被一扫而光。她硬着头皮向前走了几步，又停下了，回过头，向上望去。赵克凡正站在窗前看着她，因为太高，看不到他的表情。

她忽然有了跑回去的冲动，想再次上楼，然后对他说："我跟你去上海……"但是理智最终促使她继续走路，毕竟已不是嫩得可以掐出水的果儿了。赵克凡的秉性倒是和摇滚歌手差不多，自己哪有那么多青春来和他一起玩人生呢。曾菲菲觉得经过这一夜，她的恋爱时代可以结束了。

两天后，陈义刚回北京了，一下飞机就给曾菲菲打电话，说他回来了，晚上想一起吃饭，曾菲菲一口答应。此时，她正和钱小美在影院看电影。

出了影院，她们在街上闲逛了一阵，钱小美又和曾菲菲说起了裴彤，她说那天真没想到，裴彤竟然会来约她，她很高兴。

曾菲菲一笑："那天下午，我们俩喝茶来着，是我让他约你的。"

"你们那个下午在一起？怎么没和我说？"钱小美的表情有了变化。

"我和他谈约稿的事呀，他貌似还挺想泡我的，呵呵。"曾菲菲照实说了，她不想让钱小美把裴彤看得那么神圣。

"什么意思？"钱小美忽然停下了脚步，看着曾菲菲。

"怎么了？"曾菲菲觉得钱小美的反应有点奇怪。

"我以为是我们 MSN 聊过后，他想约我的。"钱小美低声说。

“这有什么不一样吗？”曾菲菲问。

“当然不一样了！”钱小美的声音大起来。

曾菲菲疑惑地看着她。

“他要泡你，你不愿意就算了，你没事扯上我干什么？”她的语气像是质问。

“我以为你愿意见他……”

“用得着你把他推给我吗？你自己解脱了，把我当什么了？捡你不要的垃圾，还是怎么的？”

“你是不是觉得我被你男友的哥哥给甩了，一个人度日特可怜？我跟你说，我内心强大得很。我用不着你同情，用不着你给我发送一个男人。你以为自己是美女，资源很多是吗？我告诉你，才女，你够不上边，美女，你顶多也就是一个半调子。”

曾菲菲不知道自己哪里错了，但看来钱小美是真的生气了，她轻轻地拽了一下她的衣袖：“行了，我错了。你别生气了。”

钱小美用力把她的手甩到一边，说：“你没错，错了也来不及了，少操心我的事吧！”说完，她竟一扭头，甩开脚步走了。

曾菲菲在后面问她：“你去哪儿？”

她头也不回：“你少管我！”她一边快速走着，一边忍住要掉下来的泪水，但是徒劳，终于没有忍住。已经不是生不生气的问题，事实上她感觉非常伤心，没想到在裴彤面前，她钱小美就是曾菲菲的替代品。再想起很多次圈内聚会，曾菲菲都是焦点，而自己常常无人问津。另外，陈义冰就这么和她分手了，分手的前一天竟成就了曾菲菲和陈义刚。自己怎么就和这个小妖精成了闺蜜呢？难怪要成为剩女。

钱小美在心情不好的时候，喜欢坐地铁，列车与铁轨一路摩擦，发出有节奏的声音，会让她逐渐平静下来，刚才在气头儿上，钱小美甚至有点恨曾菲菲了，但过了这个劲儿，她又觉得自己狭隘了。钱小美一抬头，看到坐在对面的一对大学生摸样的小情侣依偎在一起，想起了自己的初恋，那个男孩儿曾经那么呵护她，可以为她去摘天上的星星，那时候，自己的腰很细，如果有魔法就好了，可以永远停留在十七岁。

从深圳回来的飞机上，陈义刚并没怎么想到曾菲菲，他满脑子都是陈珂，他甚至想谅解她去年的错误，重归于好。但是，理智告诉他，再关掉公司到深圳去，舍弃的东西太多了，不值得。而且过去的背叛一定会成为一颗定时炸弹，随时都可能摧毁他们的婚姻。再说，他与曾菲菲再三提到了结婚的事，如果反悔，岂不是太不靠谱了。思前想后，他横下了一条心，决定忘了陈珂这个人，他相信漂亮的曾菲菲一定会帮他忘掉陈珂的。

晚上，曾菲菲与陈义刚约在离曾菲菲家较近的一家餐厅见面，两个人各怀心事，看起来兴致都不是很高。陈义刚努力地露出微笑，问曾菲菲结婚的事考虑得怎样了，出乎意料，她很爽快地答应了。“好呀。”她也挤出漂亮的微笑。晚饭后，两个人一起散了一会儿步，为了寻找情侣的感觉，陈义刚特意与曾菲菲十指相扣。

十一月初，在认识不到三个月后，曾菲菲与陈义刚悄无声息地登记结婚了，因为时间紧，他们没有办婚礼，没有买婚戒，没有度蜜月，双方父母凑在一起吃了个饭，便是象征性的结婚仪式了。

曾母几年来一直催促女儿赶紧找人嫁了，如今真等到这一天，她却无限伤感起来。这位时髦的老太太成长于人性相对简单的年代，兄弟姐妹众多，父母也无暇顾及他们的人格培养，她大学一毕业就被分配在一个研究院工作，因为长得美，老公也对她呵护备至，所以她的性格一直像个小姑娘。

在嘉里中心的中餐厅，双方父母客气地交流了一阵儿，曾妈妈一直想掩饰住心中的委屈与不满，但失败了。看着女儿为陈义刚夹了一筷子菜，她终于忍不住掉下眼泪，觉得自己的女儿太贱了，就这么简简单单地嫁了，还对这个男人这么殷勤。

曾爸爸拉了一下她的衣袖，示意她忍耐一下，但她甩开他的手不予理睬。她一直怨他婚事答应得过于痛快，曾父平时是个少言寡语的人，他觉得陈义刚看起来还算常规，不像花心萝卜，事业不大不小，养家应该不成问题，女儿既然愿意，就该祝福他们。

整个饭局的气氛让曾妈妈这一掉泪搞得有点尴尬，陈妈妈连忙说："这个嫁女儿啊，是当妈妈的最伤感的时刻了，想当初我嫁人的时候，我妈妈也哭了好久呢。"曾妈妈一叹气："唉……这养女儿有什么用呀，全是给别人养的，从小跟公主似的疼大的，这结婚都不跟你打个招呼。"陈妈妈笑了一下，更尴尬了。陈义刚连忙解围说："阿姨，您别这么想，以后我和菲菲会经常去看你们的。"

曾菲菲本来正敏感的神经被触动了，他怎么不叫妈呢？她悄悄地踢了他一脚，陈义刚意外被踢，吓了一跳 ，"呀"了一声，一侧目，看到曾菲菲正在瞪她，这才意识到自己说错话了，赶紧补充地叫了一句：“妈……我和菲菲会常去看你。”曾母更加不高兴了，一是他的“阿姨”让她感觉颇为刺耳，再有，他并没有要接他们夫妇俩过去住的意思，虽说她有自己的生活，不愿意离开家，但是女婿的邀请她还是需要的。因此，她只是轻轻地瞥了陈义刚一眼，并不作声。

聚餐之后，两个人带着双方的父母去新房小坐，陈义冰因为还没回京，所以不在列。为了节省精力，陈义刚没有过多挑选，就在东三环买了一处精装修的房子，三百多万，几乎花掉了所有积蓄，家具目前还不齐。一进门，贤惠的陈妈妈就连忙泡茶、洗水果，招待亲家。陈义刚与曾菲菲进卧室换家居服，陈义刚迫不及待地将曾菲菲推倒在床上，欲行好事。

曾菲菲一边笑着一边推开他：“闹什么呀，外面那么多人呢！”陈义刚笨拙地搂住她喘着粗气说：“一会儿就好，受不了了。”曾菲菲继续推他，两个人扭成一团，此时曾母的叫声传了进来：“菲菲！”听到叫声，两人连忙起身，以最快的速度换好家居服，跑了出去。

曾母正稳当地坐在客厅的沙发上。“怎么了？妈。”曾菲菲问。陈义刚站在她身边，手不自然地放在大腿处，试图掩饰自己那不争气的男性标志。“你看看你婆婆忙前忙后的多辛苦，你也不帮帮，咱家的孩子应该是知书达理的，可不能眼里这么没大人啊！”所有的人都微笑着听，但都没听明白这话究竟是说给曾菲菲的，还是陈义刚的。陈义刚有些不爽，心里盼着岳父母赶紧回家，以后也少来往才好呢。

曾菲菲的婚姻生活，就这样在曾母的不悦与陈义刚父母的喜悦中翻开了崭新的篇章。

第二部　隐婚

FAKE SINGLES

曾菲菲环视一下同事，其中大半是“剩女”，她竟然没有激情告诉大家自己几天前结婚了，而且她觉得即便说了也没人相信，自己一点儿新娘子样儿都没有，连起码的婚戒都没有戴。

惊魂未定

曾菲菲实在没想到，
这个早晨节奏竟然这么快，
陈妈妈像变魔术一般准备出了一桌早点，
陈爸爸放下拖把就开始往洗衣机里放脏衣服，
陈义刚的电动刮胡刀发出让人狂乱的噪音……

当一切都安定下来，曾菲菲给钱小美打了个电话，平静地告诉她："我和陈义刚结婚了……"

钱小美笑着说："恭喜你，这么短时间就实现了理想。"

曾菲菲说："全赖有你啦，否则，我会继续蹉跎下去。晚上请你吃饭！"

"好！"钱小美答应得爽快。

曾菲菲生性敏感，她在学生时期因为有点多愁善感，朋友不多，最好的一个还去了广州，所以这几年，她一直把钱小美当作闺蜜。本来她们是相互分担着悲喜的，但自从曾菲菲认识了陈义刚，陈义冰意外与钱小美分手，再到后来的裴彤事件，两个人似乎没有从前亲密了。

曾菲菲理解她，钱小美是个很有自尊的姑娘，最近一连串的事，曾菲菲是局中人，所以难免让钱小美感到不自在。曾菲菲希望她们还能像从前那样好，还可以一起躺在床上，望着天花板说心事。这年头，女人有男性朋友容易，有个好的女性朋友挺难的。

钱小美喜欢吃鸭脖子，因此，曾菲菲把地点选在了簋街的一家餐馆，坐在二层临窗的位置，能看到外面的人来来往往，她们两个人都喜欢靠窗的位置，因为看得见人和风景。

“最近好吗？”曾菲菲问钱小美。

钱小美拿出一支烟点上，吐了口烟圈说：“还行吧，净加班了，没空想别的。刚知道你结婚，还没来得及买礼物。”

“咱俩之间不用这么客气。”曾菲菲本来想说对于这个婚姻我并没有多么兴奋，但是看到钱小美落寞的脸色，没说出口，这仿佛有点得了便宜还卖乖的嫌疑。她忽然意识到，她们之间开始有隔阂了，不能再畅所欲言。

“不办婚礼了？”钱小美又吐了一口烟圈。

“本来不想办的，可是我妈那关过不去，也许春节左右吧，或许再晚些。你最近怎样？就是忙工作吗？”

“是呀，事儿挺多的，裴彤又到北京来了，昨天我们一起吃的饭。”

曾菲菲微笑了一下，不知说什么好。

钱小美见她神色有点尴尬，连忙拍了拍她的手：“其实我们俩没什么，上次他在我那儿住了两天，我们聊了很多，我发觉我们精神还挺契合的，但是我们没做，他说做了就俗了。”

曾菲菲“哦”了一声说：“我怕你生我的气呢……”

“反正你以后别老在我面前显摆，好像所有男人都爱你似的。饱汉不知饿汉饥！”钱小美把话说开，反而让曾菲菲释然了。

她解释道：“我是怕你太投入，你人那么聪明，但是太重感情了……”

“行了！”钱小美连忙打断她：“你又来了，跟我小妈儿似的，省省吧！”正说着，服务员端来了鸭脖子，钱小美连忙举起筷子夹住了一块：“中午就没吃饭，饿死了。”

两个女人边吃边聊，曾菲菲的手机响了，是陈义刚打来的，问她什么时候回家，她只说不会太晚，就挂掉了。钱小美一笑：“幸福吧？有人查岗了。”曾菲菲微微点了点头，看了钱小美一阵，不作声。

“怎么了？想说什么？”钱小美问她。

“我有时候觉得，现在的生活像在梦中，我和陈义刚好像都不怎么认识，就生活在一起了。”曾菲菲脑袋一歪，表情像个无知少女。

“呵呵，”钱小美一笑：“你就这毛病，什么事情，没让你赶上，你纠结，让你赶上了，你照样纠结。纯属有病。有人逼你结婚了？你自己决定的。”

“是，是我决定的，我就是想结婚了，他是个不错的人选，他又喜欢我，向我求婚，我该答应吧？”

“问谁呢？对于你的决定，我可没有答案。”钱小美边说边吃着鸭脖子。

曾菲菲一直感叹她的技术，可以瞬间把一截一截的鸭脖子转变成无数块小碎骨头，如果拿胶水粘一粘，肯定就像个小型恐龙化石般完整。

“他那个怎么样？”钱小美忽然抬起头诡异地看着曾菲菲。

曾菲菲当然明白她的意思，但故意问：“哪个呀？”

“别装呀！床上怎样？”钱小美点明了。

曾菲菲叹了口气：“一直没机会检验呢，呵呵！前些日子我身体不方便，这几天他又特忙。”

“哈哈！怪不得你纠结呢？”钱小美说着把脸向前凑了一下，曾菲菲也配合着向前凑。钱小美接着小声说：“通往女人心的是阴道，你该知道。”

这话，让曾菲菲不禁想起了赵克凡，陈义刚回北京的前一天夜晚，他就占有了这个通道，并再一次扰乱了她的心。她觉得这一晚有点对不起陈义刚。

“这没什么呀。”钱小美替她开解：“你那时候还没有结婚，而且也没确定结婚呢！”听了钱小美的话，曾菲菲的罪恶感减少了很多。正说着话，她们点的菜一一被服务员端了上来，两个人继续开动，曾菲菲看着钱小美若无其事吃菜的样子，心底涌起一阵阵怜爱之情。

不知道她们两个今后还能不能随时聚在一起分享彼此的苦乐，不知道钱小美什么时候能找到她期待的那份爱情。钱小美很喜欢把“爱”放在嘴边，曾菲菲一听这个字就觉得肉麻，尼采说过吧，“爱”其实就是把欲望给神话了而已，她反正是不信。

曾菲菲到家已经晚上十点半了，觉得和钱小美的饭局还意犹未尽。她刚进门，就被“扑面而来”的陈义刚抱住了，着实吓了一跳，短暂的恐惧过后，曾菲菲的身体里有了异样的感觉，有点像青少年时期的荷尔蒙失调，心里慌慌的，她甚至有点后悔自己怎么没有在陈义刚熟睡后再回来。

陈义刚撒娇一般地埋怨她："怎么回来这么晚？你们俩哪来那么多话可说呀！"边说边一把抱起她。曾菲菲轻轻地"啊"了一声，仰面看着陈义刚的脸，他是不丑，但是她感觉很陌生，一想到一会儿要和他睡在一起，她感到有点不自在。

"我们一起洗澡！""不，我不好意思，我们还是各洗各的吧。"但陈义刚不由分说将曾菲菲抱到了浴室里面，并没有过度就开始脱她的衣服。她想去推他，但是他的一句话提醒了她。"我们是夫妻了，宝贝儿。"于是她没有推他，任凭他一件一件脱掉她的衣服，她就僵在那里，连摆个什么表情合适都不知道。当陈义刚把自己脱光之后，她的不适感就更加严重了，一个完全陌生的身体，小腹微微隆起，远没有穿着衣服时像样。

赤条条的曾菲菲倚在洗脸池边上，挪不动步子。陈义刚没有坚持拉她一起淋浴，他自己先进了淋浴房，出来时，曾菲菲看到他身体的正面，不禁闭上眼睛，她很奇怪，自己又不是没有过往的人，为什么今天这么放不开。

她独自沐浴后回到房间，陈义刚在床上微笑着，台灯的光线很柔和，但是曾菲菲的心很是异样。她想把真实的感受告诉新婚丈夫，但是马上意识到这种愚蠢的坦率并不利于他们之间关系的发展。婚姻是她想要的，眼前这个条件还不错的男人帮他实现了愿望，她该感恩才对。

于是她主动打开了裹在身上的浴巾，灯光为她完美的曲线镶上了一层金边，陈义刚看到这个画面，几乎窒息了，他脑子里只想到一个词“女神”。本来很急迫的心情忽然紧张了起来，他起身下地，走到曾菲菲的面前，轻轻地把她抱在了怀里说：“你太美了，老婆，我不知道说什么好。”

曾菲菲忽然很为“老婆”这个词感动，仿佛刚刚意识到已经有了自己的家，这个男人就是传说中的女人保护神吧。

“老公……”她轻轻唤了一声。

“怎么？”陈义刚一边问一边抚摸她的头发。

“问你个傻问题，你会一辈子对我好吗？”

“真是傻问题，我不对你好对谁好呢？”他又想起陈珂，那个女人从不问这种小女人的问题，虽然她形式上很温柔。

他亦然有点担心，曾菲菲是那种让男人眼前一亮裤头一热的女人，这让他多少有点不安，不知道未来会不会打响绿帽保卫战。

两个人抱了一阵儿，都觉得该进行下去了，陈义刚将曾菲菲轻轻地放倒在床上，不知道她喜欢什么样的爱抚，又不好开口问，只一个劲儿地亲她的嘴，然后直入主题。曾菲菲的身体因紧张而不够湿润，不由自主地叫了一声。“怎么？疼吗？”陈义刚体贴地问。“没……没事……”曾菲菲闭着眼睛接受着一切，身体逐渐放松下来。

第二天一早，陈义刚睡到了自然醒，他一睁眼便看到一头长卷发的曾菲菲还在酣睡。这个场景让他感觉像做梦，很长时间身边没有睡过女人了，而且这个女人他并不熟悉。在陈义刚的注视下，曾菲菲也睁开了眼睛，她目自翕合，面无表情。陈义刚伸开手臂抱住她，她在他怀中柔软而温暖，像一只正在发呆的猫科动物幼崽。

“我们应该算闪婚吧？呵呵。”陈义刚笑着说。“是呀，”曾菲菲应着：“你都没怎么追我呢。”“是呀，咱们先结婚后恋爱吧。”听了这话，曾菲菲的心情有点异样，男人和女人的思维真是不一样，他在床上再热烈也不能代表他是爱你的，女人要是不爱根本就热不起来。曾菲菲抬眼看看大床对面的挂钟，刚刚七点，十点要去杂志社开选题会，现在还早，她想在床上赖到八点再起。

她平躺在床上使劲伸了一个懒腰，停下来的时候忽然觉得客厅有声音，为了听得更真切，她终止了所有动作，一动不动地竖起耳朵。“干吗呢？”陈义刚一边说一边扒拉她：“起床吧，上班了。”曾菲菲连忙回过头将食指放在嘴上，示意陈义刚别出声，陈义刚不再作声，她继续僵着身体听声音，几秒钟后证实刚才的声音是幻觉。

陈义刚一骨碌坐了起来，冲进了洗手间，曾菲菲也觉得睡意全无，起身去客卫方便。打开卧室的门，便有个黑影一晃，还没回过味儿来，她就“啊”地一声叫。“怎么了？怎么了？”陈义刚闻讯跑了过来，嘴里还有牙膏沫。

比陈义刚晚不了半秒钟，那个黑影也凑了过来，曾菲菲定睛一看，竟然是拿着拖把的公公。她先是下意识地看了一下自己，还好没有一丝不挂，之后脑子里闪现出两个问号，一是公公怎么进来的？二是这个难看的拖把是哪里来的？

当这两个疑问还没有解开的时候，客厅里又跑出了手拿抹布的婆婆。“你们这是……？”面对两个不速之客，曾菲菲不知道该如何提问。陈义刚一看是父母过来帮助打扫卫生，笑了一下，用方言对他们说了两句话，就转身回去继续刷牙了。

“吓到你了吧。”公公温和地笑着：“你们工作都很忙，没时间收拾屋子，所以我们就过来帮帮忙。”曾菲菲“哦”了一声，心想您过来倒是晚一点儿呀，提前打个电话什么的，怎么能把人给堵被窝里呢。接着她尴尬地笑了一下，说了声“谢谢爸爸”，就退回主卧，关上了门，惊魂未定的她尿意已经全无了，一心要等陈义刚洗漱完出来好好质问他一下。

“这有什么呀？我的房间一向是我爸妈打扫的。”陈义刚一脸的无所谓。

曾菲菲更气了：“你用脑子想一想，我们现在是两个人了，总有点隐私吧，这么不打招呼就过来，我穿得又这么少……”

“都是为你好，省得你辛苦啦，你怎么？”陈义刚想说不知好歹，话到嘴边又不忍心。

“我们自己也可以做家务呀？”曾菲菲差点就压不住声音了。

“你会做吗？”陈义刚问。

“又不是我一个人的事，还有你呢，你也做。”

正说着，门被推开了，陈妈妈端着一摞衣服进来了，而且直奔衣柜，边走边说：“我把衣服收了，一会儿好晾新洗的。”曾菲菲赫然看到衣服的顶端是自己的一条黑色蕾丝小内裤，感觉非常不舒服。陈妈妈倒是无所谓，打开柜门，就把衣服放了进去，关门的时候一侧身，往床头柜上扫了一眼，曾菲菲连忙过去，把“杜蕾斯”的小包装捏在了手里。

陈妈妈刚出去，曾菲菲就瞪着眼睛对陈义刚说：“卧室怎么可以随便进呢？还不敲门！”话音未落，门又开了，陈爸爸举着刚才那个大拖把进来了，曾菲菲顿时语塞，唯有躲进洗手间梳妆打扮去了。刚进去，手机响了，她赶忙又回到卧室去拿，回到洗手间去接。又是赵克凡，他说这半个月特别忙，但还常想起她，怎么她一个电话也不打给他。

曾菲菲被这个早晨的一系列事搞得哭笑不得，压低了嗓门对他说："我结婚了，以后也不太方便给你打什么电话了。"赵克凡有点急："什么时候结的？也不告诉我！""办婚礼前我会通知你的，先挂了吧。"说完，曾菲菲率先挂掉了电话。

曾菲菲实在没想到，这个早晨节奏竟然这么快，和她以往的慵懒作风很不一致。除了她，其他人都忙得热火朝天，陈妈妈像变魔术一般准备出了一桌早点，陈爸爸放下拖把就开始往洗衣机里放脏衣服，陈义刚的电动刮胡刀发出让人狂乱的噪音……曾菲菲感觉自己仿佛身处嘈杂的人群之中，心也跟着毛躁起来，于是她干脆没有心情化妆了，随便找了两件衣服上身，就准备出门。

正在换鞋的空当儿，陈妈妈迎了过来，热情地说："菲菲呀，吃了早餐再走啊。"

曾菲菲强装着笑脸说："妈，我快来不及了。先走了。"说完就开门出去了。

陈妈妈站在门前发了一会儿呆，说："这孩子真是，既然要上班，怎么不早点起呢，搞得这么忙乱，连饭都顾不上吃。"

话音未落，陈义刚从卫生间到了客厅。"我老婆呢？"他边东张西望，边自言自语般地发问。

“走了，去上班了。”陈妈妈边说边走到餐桌旁坐下。

“这孩子，怎么也不和我说一声。”陈义刚说完也坐到餐桌旁准备吃早餐，他抬眼看看母亲和父亲，觉得家庭的感觉是那么实在与和谐，想到刚才曾菲菲的表现，觉得她反而有点不在状态，暗自下决心要让曾菲菲融入到他们的大家庭中来。

曾菲菲到编辑部的时候，意外发现苗豆豆和谢灵已经到了，而且正哈哈大笑着，貌似刚分享了什么开心的事情。“一大早就这么开心呀？”曾菲菲心中莫名酸楚，看到两个姑娘说笑，不免羡慕起单身来。

“怎么，你一大早看起来就不太开心呀，谁惹你了？”苗豆豆问。

曾菲菲还没来得及告诉大家她结婚的消息，此时也不太有心情宣布，只叹了口气，便陷在了自己的椅子里。

“看你这情绪，给你讲个段子吧，谢灵刚说给我听的。”苗豆豆在编辑部一向以懂事著称。

曾菲菲打起精神来看着她：“好呀！”

苗豆豆说：“有一个新上任的领导干部，带着秘书到基层视察，为了与群众拉近距离，就说：‘我是农民的儿子。’转身问秘书：‘你呢？’秘书连忙回应：‘我是农民的孙子。’”曾菲菲使劲地“哈哈”一笑，给予回报。苗豆豆瞪了她一眼：“还没完呢！”“哦，继续……”曾菲菲再认真地看着她。苗豆豆继续：“此时一个憨厚老实的实习生出现在领导的视线里，领导就问他：‘小同志，你呢？’实习生很干脆地回答：‘我就是农民！’”

“哈哈，哈哈哈哈哈！”这回曾菲菲可真是被她给逗笑了。“好玩吧？”“好玩，还真挺好玩的。”曾菲菲一下子觉得好开心，早上公婆不请自来的不悦顷刻被抛在脑后了。

正笑着，谢灵一下子趴在会议桌上，撒娇一般地“哼”了两声。

“你这是怎么了？这么大一坨儿还撒娇。”曾菲菲说着拍了她一下。

“我这个月的文化选题都写恶心了呢！今天都不知道还能报什么选题。”

苗豆豆眼睛一转，说：“做周立波好了。现在很多人喜欢他。”

曾菲菲一撇嘴：“他也就是挺聪明吧。不过也太自以为是了，我看京沪两地关系就是被他们这些人给挑唆的。什么北方普遍比南方幽默，因为北方是乡村文化，上海这种城市的文化是都市文化。照他这么说伦敦、纽约是不是就没幽默了？显然是扯淡嘛！”

“正因为有争议才更值得做呀，一个全世界都喜欢的人有什么意思呢？”苗豆豆说。

“也是呀，不知道我们这种生活类的杂志能不能约到他，如果约到的话，就可以去上海了呢！”谢灵一下子来了精神，笑着抬起了头。

“哎呀，我说你是不是北京姑娘呀？就去个上海有什么可激动的呀？”

苗豆豆用胳膊肘碰了一下曾菲菲：“你忘了啊？她复旦的呀，在那里肯定有往事、故人还没有如烟吧，天天念叨上海怎么怎么好。”

三个人聊着天，时间很快就接近十点了，编辑们都是卡点大王，八九个人几乎同一时间蜂拥至办公室。

选题会在一片凌乱之中开始了，大家你一句我一句地发着言，曾菲菲的脑子只跟了前半段，等她报完自己的选题之后，便开始走神了。

她环视着一下同事，其中大半是“剩女”，她竟然没有激情告诉大家自己几天前结婚了，而且她觉得即便说了也没人相信，自己一点儿新娘子样儿都没有，连起码的婚戒都没有戴。新娘子到底该什么样？她也说不清楚，但至少不是这个样儿，没来得及买钻戒，没来得及办婚礼，没来得及度蜜月。

杂志社的人天天忙得热火朝天的，年底要裁员的传说越来越强大，谁要说请几天假，潜台词就像是在说：老子不想干了。还是等一等吧，据说现在平媒的日子都不太好过，自家的新郎也非名车开着，豪宅住着，全职太太这等职务还是不要想。

放在桌子上的手机闪了一下，曾菲菲拿起来看了看，又是赵克凡的短信：我无论如何都要见你，否则我会一直给你打电话。曾菲菲想了想，回道：明天再说，今天忙。

这个赵克凡真是奇怪，他们交往的时候，他经常是几天没消息，一出现就热烈得不行。他们现在已经分手了，他怎么还这么情绪化。不能否认，曾菲菲对他还是残留了一些感情，张爱玲也说过“女人的阴道连着心”，这话不无道理。

她几天就有了一个婚姻，婚前她甚至没想到目前最流行的一个词汇——和谐。直到她和陈义刚度过了初夜，她的心竟然觉得有点空空的，似乎他们之间的交合并不那么浑然天成，那么淋漓尽致。还有今天一早上演的“全家福”，更是让她觉得哪里不太对劲。她此时还不知道，晚上会有更不对劲的事发生。

下午4点，曾菲菲正在做采访提纲的时候，陈义刚打了个电话过来，说哥哥陈义冰从上海回来了，想一起在外面吃个饭。他不说曾菲菲都快忘了陈义冰这个人了，钱小美的短暂男友现在居然成了她的亲戚。曾菲菲答应得很痛快，反正她晚上没什么活动，又不想回家做饭。

说完这件事，陈义刚似乎想起了早上的事，他问曾菲菲今天早上怎么走那么急，也不和他打个招呼。

“因为我不高兴呀？”她说。

“是因为我爸妈吗？他们习惯了帮我打扫卫生，做早饭。”

“但你现在结婚了，你老婆我不习惯，一大早就被堵被窝里，来之前也不打个招呼。”

陈义刚叹了一口气，这口气让曾菲菲觉得莫名其妙的，他说：“好吧，我和他们说一下，以后注意点儿。”

曾菲菲“嗯”了一声挂了电话。

话说风流成性的陈义冰在上海被那一组百分之百美女伤了元气，觉得男欢女爱之事越来越不靠谱，自己喜欢过的，现在回想起来还喜欢的姑娘们基本都结了婚，不正经搭理他了，一种孤独感油然而生。还没回北京的时候，他就向陈义刚求援，求他发个姑娘过来。

当时空中小姐毛那那正坐在陈义刚面前的沙发里闲聊，陈义刚被她搞得头大，又觉得直接跟她说自己结婚了有点奇怪，毕竟他这婚结得确实是有点快，他本来想过个半年左右，办婚礼的时候再通知大家。陈义冰一向他求救，他马上就想到了对面这位毛小姐。当他向毛那那提出想把自己外企的哥哥介绍给她时，她说如果像你这般帅就可以见。

晚上 7 点，曾菲菲按时到达了东四环的一家日本料理店。当她找到陈义刚的时候，面对眼前的人物组合，有点摸不着头脑，主要是不明白毛那那怎么会在。

陈义刚一看老婆来了，心跳忽然剧烈了起来，曾菲菲对他来说，还是个并不熟悉的漂亮女人，他一时间还不能完全适应角色的转换。

毛那那坐在陈义刚一侧，看到曾菲菲来了，马上露出了微笑，她大方地伸出手：“你好呀，美女，我刚刚知道你们的喜讯，祝贺你和陈义刚同学闪电成婚啊！”

曾菲菲看看她，再看看小脸儿红扑扑的陈义刚，也笑着说：“谢谢！谢谢！”显然，她只能坐在陈义冰的旁边了。

陈义冰连忙说：“弟妹来了，赶紧坐，赶紧坐！外面冷吧！咱可是有日子没见了，我上海那个项目出了点差子，耽误了不少时间。”曾菲菲一边坐下，一边很有礼貌地问：“那边已经处理好了吧？”“差不多吧，还有点收尾工作，派别人去了。”他把“派”字说得有点重，同时看向毛那那。

曾菲菲基本明白了这个饭局的用意，但是她心中纳闷，陈义刚在电话里为什么只字未提？而且他怎么会想到要把追求自己的毛那那介绍给哥哥呢？如果真成了，以后在一起多尴尬。不过这个问题，她也没纠结太久就转移了注意力。

可能因为她的意兴阑珊、兴致不高，无意间芥末倒多了，她将沾了芥末的金枪鱼放在嘴里后，一股辛辣的力量就直冲天灵盖，还没来得及咳嗽，眼泪就已经下来了。曾菲菲头一次体会到辣到极致也像喝多了酒一般会上头，让人头晕目眩。于是赶紧拿大麦茶来喝，但是还是无法挡住一阵急促的咳嗽和劈头盖脸而来的痛苦。

陈义冰正和毛那那眉来眼去，眼中的一缕缕情丝被突然来自曾菲菲那边的噪音斩断，他连忙侧目问：“怎么了？菲菲，没事吧？”曾菲菲一手试图捂住咳嗽，另一只手使劲地摆了摆。敏感的她觉得很尴尬，居然在追过自己老公的女人面前失态了。而陈义刚只说了一句："怎么这么不小心?"之后就默默地看着她，并没有什么关怀的动作。

她不禁又想起赵克凡，那个男人真是体贴，会帮她系鞋带；帮她换拖鞋；在她不愉快的时候，他会把她抱在自己的身上，抚摸她的头发，温柔地为她开解。如果她被辣到了，赵克凡一定会过来轻轻地拍着她的后背，同时递过一杯水。她奇怪眼前这个男人怎么可以像根种在椅子上的木头那样一动不动。

在这种情境下，寿司自然吃得很无趣，过了一阵儿，曾菲菲的咳嗽终于止住了，她抓紧吃了几个寿司，之后便微笑着对陈义刚说，我今天晚上要赶一个采访提纲，我们先回去好不好？让那那和陈义冰再聊会儿。陈义刚也觉得有道理，介绍人的任务完成了，的确可以撤了，于是积极响应。

曾菲菲在出了餐厅的门之后，立刻没了笑脸，坐进陈义刚的车之后，只看着前方一言不发。实际上她脑子里闪现着陈义刚从早到晚的种种表现，内心已经郁闷得一塌糊涂，这个男人是怎样一个人呢？似乎并不是她婚前认为的那样"贤惠"。

"怎么了？不高兴了?"陈义刚一边开车一边问她。她只是不说话。"到底怎么了呢？亲爱的。"

曾菲菲叹了口气："我是不明白你怎么想的?"

"什么怎么想的?"

"你把毛那那介绍给你哥哥，饭局前怎么也不说一下，我以为到场的是你哥、你、我，加你爸你妈呢！而且你哥哥还挺对不住钱小美的……"

“打电话的时候挺忙的，所以没想那么多。”陈义刚解释。

“不就一句话的事吗？还有，你爸妈一大早不打招呼就自己进来了，你不觉得很奇怪吗？而且你妈直接就闯到卧室来了。”

“哦，这个怪我，他们昨天就和我说了过来收拾屋子，我昨晚见你一激动，把这事给忘了。不过，你现在别老你妈你爸的，都结婚了，他们是咱爸咱妈了啊！”

曾菲菲更不愉快了，委屈感油然而生：“你就不觉得今天这两件事搞得你老婆我很不愉快吗？你怎么跟没事人似的。”

陈义刚听到这里，用左手抓了抓头皮说：“还好吧，他们来打扫卫生，你不是更轻松了吗？也没什么不好！”

“怎么是我轻松呢？家务不是我们两个人的吗？”

“我是男人，一天到晚脑子里那么多事，哪有那么多精力管那些。”

“男人怎么了？我也有很多事要忙呀？我们北京女人不可能甘心在家当家庭妇女的，夫妻是平等的……”

陈义刚深呼吸了一下：“世界上哪有绝对的平等呢？我们都学过政治经济学，经济基础决定上层建筑，谁是家庭的经济支柱，谁就更有话语权。关于家庭责任问题我们还谈得太少，你老说你的工作压力也大，但据我了解你们这些做编辑的，特别你这种不涉及商业领域的纯文字编辑，收入都不会太高，你完全可以辞职在家，我一个人挣钱就好。”

“人的价值就是用收入高低衡量吗？”曾菲菲开始感到胸闷了，她很失望地发现，陈义刚虽然很迫切地向她求婚，但是并没有打算好好地宠她，他已经把她定位为他身后的女人了。

于是，她不作声了，不经意间眼泪竟掉了下来，她不由得吸了一下鼻子。陈义刚本来以为她在认真地思考他的话，便专心开车，闻声侧目，看到曾菲菲竟然已经泪光闪烁，丈二和尚摸不着头脑，他心想是不是做文字工作的女人都多愁善感呀？于是他靠边停了车，问道："怎么了？老婆。"曾菲菲先是只顾哭，不理会他，过了一会儿，她长舒了一口气慢悠悠地说："没想到我们这么早就开始吵架了……"

陈义刚觉得这话好笑，于是一把把曾菲菲揽在怀里："你说什么呢？我是在和你沟通，和你讲道理。"曾菲菲觉得他们今天才算是真正的沟通了一回，却又无效，完全是在各说各话。

她鬼使神差般地说："其实你根本不爱我，我自作多情地认为你对我是一见钟情，而实际上，实际上你并不爱我是不是？"她边说边抬起头去看陈义刚的脸，她的新婚丈夫目光有点闪烁，思考了一下慢慢地说："不爱你，我还能爱谁呢？"曾菲菲又转过脸去看车窗外，华灯璀璨，却掩饰不住心里的落寞，转念一想，又何必去追究他的感情呢？自己也没有那么爱他不是吗？

"菲菲……"陈义刚唤她的名字。"怎么？"她应着，感觉对方的手在她的肩上按了按，将她搂得更紧了一些。他的声音继续向耳边飘来："你可能觉得我不够爱你，其实也对也不对。首先，我觉得我可能有点老了，没有从前那种爱的火热的能力了，并不是不喜欢你。再有，我们是萍水相逢的，确实没有一起经历过任何事，所以我们与相处了几年再结婚的人感觉肯定是不一样的。而且，我是小城市里生长起来的穷娃娃，我从前只知道数理化，不懂什么浪漫。不怕你笑话，我连《红楼梦》的人物关系都搞不清……"

曾菲菲听进去了，随后笑了一下："这些都不重要，重要的是你心里还有别人吧？比如前女友之类的，她比我好是吧？"曾菲菲的一句话似乎击中了陈义刚的软肋，他忽然觉得心里酸酸的，同时又觉得自己确实有点对不住新婚妻子，他的心并没有全部放在她身上，他用右手搂住曾菲菲，腾出左手来摸了摸她的头发，缓缓地说："别和别人比吧，你有你的好，你和别人不一样……""我哪里好？""漂亮……""还有别的吗？""……"

他们的车子在路边停了一会儿便继续前行了，两个人都没再说话，默默想着各自的心事，收音机里陈楚生有点伤感的声音传来："还记得某年某月的某一天，你坐在酒吧的角落里……你渴望得到爱情保护，受伤时有人去哭……你总是无法习惯孤独……"

曾菲菲被歌词感动了，自己那么迫切地想结婚其实就是无法习惯孤独吧？她想知道这世界上的人有没有能习惯孤独的呢？一个人生活下去，直到死去，到底是什么感觉呢？痛苦还是逍遥？

帅男人叫丁麦

丁麦恭敬地低了下头，
这个小动作换做别的男人可能会略显做作，
但这个男人却很自然，
只能说他骨子里有一种掩藏不住的风流气质。

冬天的阳光经常很灿烂，弥补了这个季节的不足。很少有人喜欢冬天，但大家都不讨厌太阳。婚后半个多月了，曾菲菲总觉得自己的内心有点拧巴，陈义刚是个恋家的男人，很少在外面应酬，但对于曾菲菲的喜怒哀乐似乎并不太关注。

一个午后，她在办公室的窗前发着呆，想自己的姐妹淘钱小美了。两个人似乎心有灵犀一点通，钱小美没多久就打来了电话，说这两天在家办公，让她没事过去坐坐。

于是 1 个小时后，曾菲菲出现在了钱小美的小公寓里。

“小妞儿你这是怎么了？脸色一点儿都不红润，哪里像新娘子呀？”

钱小美一见面就说。

“嗨……快年底了，要做新年专刊呀，累得不行。”

“是吗？你们社真变态，新娘子都不放过。”

“根本没人知道我结婚了。”曾菲菲淡淡地说。

“这么好的事你怎么也不大喇叭广播一下呀？”钱小美继续逗弄她。

曾菲菲苦笑了一下，懒洋洋地趴到钱小美的床上说：“也没什么好吧，懒得公布。”

“知足吧啊！现在剩女这么多，要不是你有点小模样，指不定剩到什么时候呢！”

曾菲菲闭上眼睛，一阵倦意袭来，她缓缓地说：“哎，婚姻和我想的不太一样呀。”

钱小美坐在电脑前一边敲字一边问：“你以前想过婚姻吗？我以为你就是要个过日子的男人呢？”

“也对，我当时就是这么想的。但我没想到，这个男人在家就是吃饭、睡觉，And 睡我……”

“你想让他不睡觉还是不睡你呀？”钱小美恶作剧般地一乐。

“讨厌！”曾菲菲恨恨地回了她。

钱小美手头有事，暂时没有再搭话，房间中只听到她敲击键盘的声音，曾菲菲像一只猫咪一样，在大床上腻了一会儿，觉得这床真的很舒服，软软的，不知不觉中，竟然睡着了。她感觉到钱小美给她盖了被子，之后就进入了梦乡。

大概睡了半个小时，一阵手机铃声惊醒了她，她赶紧眯着眼睛起身找到手袋，并从里面拿出手机，妈妈的声音像银铃一般响起：“菲菲呀，这么多天不来电话，你忙什么呢？”

曾菲菲被这来电搞得心扑通扑通地狂跳，不太高兴，闷闷地说：“工作快忙死了，好多稿子要写呢！”

“那你也得给家来个电话呀，你这刚结婚，你知道我这心里多不踏实吗？”

“哎呀，有什么不踏实的呀？我好着呢！”曾菲菲不想和妈妈说自己对婚姻的不适应，她知道自己一旦说了，妈妈那多愁善感的劲头来了，会令她更加一筹莫展。

“能好吗？”曾妈妈的声音又提高了若干度，焦躁地说：“我一看陈义刚那孩子就不像太懂事的。回头他给你气受可怎么办？我想到这些就睡不着觉。”

“行了，妈，别操心了，我很好。”曾菲菲觉得自己依然很困，还想再睡一会儿。

“那你哪天回来看看呀？就这么不管你妈了？”

曾菲菲皱了一下眉头说：“这周末，好吧？我们去看你们。”

“也不一定非和老公一起呀？自己回来也行。”

“知道了，知道了，先这样啊……”曾菲菲挂断了电话，再次倒在床上，闭上眼睛。

躺着躺着，她忽然有了一种奇特的感觉，钱小美一直没说话，键盘的声音也没有了。但是她感觉身边是有人的呀。她还没来得及睁开眼睛，一个温柔的男声把她吓了一大跳。“你是谁？”一个男人问。

曾菲菲以自己都没反应过来的速度坐了起来，玫瑰花图案的薄被被她紧紧地抱在怀里。她定睛一看，眼前站着一个身材挺拔的男人，脸瘦瘦的，目光深邃，眉毛很黑。她顾不上评判这男人帅不帅，只惊恐地看着他，语无伦次："你，你是谁？你什么时候进来的？"她又环顾四周，寻不到钱小美的踪影。

那男人嘴角上扬着一笑，靠近她说："我来找钱小美，她没在，却看见你睡在这里。你不会是她准备送我的礼物吧？太贵重了。"他的声音不高，但很有穿透力。

曾菲菲将身子往后一挪，狐疑地看着眼前这个男人："你是怎么进来的？"

"我有钥匙呀。"他说着从身后的写字台上拿起一个钥匙包在曾菲菲的眼前晃了晃，里面的钥匙发出清脆的碰撞声。曾菲菲摇了摇头，反正她也搞不清眼前的状况，觉得只有离开比较好。她连忙起身下地，然后寻找自己的外套。

"怎么？你要走？"男人的语气很友好，听起来像这房间的男主人似的。

曾菲菲心想，他不会是房东吧？那也不能随便到房客家里来呀。"嗯，时间不早了，我该回去了。钱小美到底去哪了？真不靠谱。"她的后半句显然是自言自语。

正说着，客厅的门响了，随着开门的声音，钱小美的脚步声清晰可见。曾菲菲赶紧跑了过去，劈头就问："你干吗去了？"

钱小美看着她激动的情绪有点纳闷，说："买烟去了，想留你吃饭，顺便买了些菜。你这么快就睡醒了呀？"话音未落，那个男人也走了过来，这下换成钱小美惊奇了，"你怎么来了？也不提前打个电话！"

男人一笑："我来查岗呀，突击检查。"

钱小美上前拍了一下他的肩膀，略带娇嗔地说：“你是不是现代人呀？居然做不速之客，这么不靠谱……”

她转而看到一脸迷茫的曾菲菲，连忙解释：“哦，亲爱的。他叫丁麦，我的男友。你们是不是互相介绍过了？”曾菲菲暗自吃惊钱小美的异性缘。

丁麦连忙说：“还没来得及呢？我把她吓坏了。”

钱小美又拍了他一下：“你这样从天而降当然要把人吓坏了，她本来就是个娇弱的林妹妹，正式介绍下，我的闺蜜曾菲菲，在杂志社做编辑，漂亮吧？”

“哦，才女啊！认识你是我的荣幸。”丁麦恭敬地低了下头，这个小动作换做别的男人可能会略显做作，但这个男人却很自然，只能说他骨子里有一种掩藏不住的风流气质。曾菲菲莫名其妙地感到有些紧张与害羞，她觉得还是快点离开比较好，免得失态。本来是为了向钱小美倒苦水的，现在倒是忘干净了此行的目的。

“既然你朋友来了，我就回去吧。”曾菲菲边说边看了一下腕表：“时间也不早了。”

“干吗呀？是不是我家老丁太有风度，晃着你了？”钱小美习惯性地一针见血，边说边拉住曾菲菲的胳膊：“不行啊，别走，我们三个一起吃饭。”

曾菲菲温和地笑了笑，表情的确有点不自然：“不了，我还是回去吧，没和家里人说不回去吃饭。”

“现在打个电话和他们说好了。”丁麦一怂恿，让在场的两个姑娘都有点吃惊。

经过一番推诿，曾菲菲终究没有拗过眼前这对情侣，最后大家听从了丁麦的建议出去吃。

看到丁麦为钱小美倒茶，曾菲菲又想到了情种儿一般的赵克凡，不由得轻轻地叹了口气。“你高兴点好不好？”钱小美对她说：“你那点小烦恼根本不算什么，不要为赋新辞强说愁啊！”曾菲菲觉得面对第三个人也不好多说什么，只能摇摇头，继续吃眼前的饭菜。

她甚至提不起兴趣问闺蜜的男友干什么工作的，他们怎么认识的这种八卦话题。丁麦倒是主动找些话题来聊，比如做编辑是不是个有趣的事？平时两个女人在一起都玩些什么之类的。正聊着，陈义刚的电话打过来了，曾菲菲这才想起刚才忘了给他电话，说自己不回家吃饭了。陈义刚怪她为什么不早说，婆婆特意为她做了干烧鱼，听起来，老太太又移师他们的新房忙活了一阵子。

钱小美中途去了趟洗手间，留下曾菲菲和帅男人丁麦面面相觑。曾菲菲为了掩饰自己的尴尬情绪，笑着问他：“你们怎么认识的呀？”

男人淡定地说：“网上。”

“网上？”这确实出乎曾菲菲的意料。

丁麦一笑：“不过不是QQ啊什么的，我们是在一个交友网站上认识的。经过一系列的测试，我们的性格、价值观都很搭。”“这样呀，有意思。”“真是缘分啊，这么多人，我们俩配上了。如果你也注册了那个网站，没准咱们也能配上呢？呵呵！”

曾菲菲对这话很敏感，马上要说可惜我结婚了，话刚到嘴边，即刻被兴致勃勃从洗手间回来的钱小美给打断了，“你们聊什么呢？”她问。“她问咱们怎么认识的？”丁麦如实回答。“他有没有告诉你我们是网上认识的？”钱小美乐呵呵地转向曾菲菲。曾菲菲马上说：“说了，说了，他还说你们很有缘分呢！”“可不，他那么帅，我都没想到他会搭理我。像他这样的，周围不知道有多少女人跟踪着呢！”

曾菲菲露出本色，白了她一眼：“不至于吧，你这么狠命地夸他，对男人太好，不怕他会翘尾巴啊！”

“他才不会翘，你看他多淡定……哈哈！”钱小美又拍了拍丁麦。

丁麦看着曾菲菲，若有所思地说：“看来你很懂男人呀……这么有心得。”

“谈不上有多懂吧，只觉得男女关系上，谁主动谁就被动。我家钱小美人很好，你可要好好待她……”

“得得得！小妈又来了……”没等丁麦说话，钱小美连忙把曾菲菲那些肉麻的关照话堵了回去。

紧接着，丁麦温柔地拉起了钱小美的手对曾菲菲说：“当然，我知道她是好姑娘……”钱小美与他对视了一下，心中即刻荡起一股暖流，眼神有如一汪春水。曾菲菲看到眼前两个人恩爱自然高兴。

陈义刚晚上送老妈回去后在家上了一阵网，觉得有点寂寥。虽然只和曾菲菲同居了不到一个月，却似乎已经习惯了有娇妻在家陪伴的生活，回家看不到曾菲菲，心里有点空落落的。但是有一点，他不太适应。从前与父母住在一起的时候，老两口总是伺候得他舒舒服服，饭点儿有做好的饭，饭后手边永远有一杯热茶，自打与曾菲菲单住以来，他居然要自己烧水喝了。

厨房里水壶的哨声响起来，他连忙跑过去关火，并从橱柜里找出茶叶与茶杯，在沏茶的过程中，他看到楼下曾菲菲的身影出现在单元楼门口。他想立刻去开门，又一转念，觉得大男人不能这么殷勤，还是等她按门铃再说吧。正想着，开水已经倒满了整个杯子，水柱落到操作台上溅出来，陈义刚觉得大腿上顷刻滚烫，差点把水壶扔在地上。

曾菲菲用自己的钥匙开了门，一进来就看到陈义刚蹲在地上擦水的身影。她轻手轻脚地走过去，趴在他的后背上，轻轻地叫了声："老公。"没料到陈义刚不耐烦地推开了她的手。"你这是干什么？"曾菲菲热脸贴了冷屁股，心中滋味奇特。

陈义刚腿上被烫，有点烦躁，又想起曾菲菲没打招呼就不回家吃饭这件事，更加没有好气："你去哪了？这么晚才回来。"

"去找钱小美了。"曾菲菲边说边去拿自己的杯子倒水喝。

"又是钱小美，你没事老找她干吗？你已经结婚了，天天不着家！"陈义刚把抹布往水池子上一扔。

曾菲菲不明白他哪来的脾气，回到："连九点还没到，怎么就晚了？而且刚才我电话里也和你说了呀。你这么生气干吗？至于吗？"

陈义刚哼了一声："我看你一点结了婚的样子都没有，房间打扫过吗？饭做过一顿吗？"

曾菲菲更加觉得冤枉："我前天做过一次呀，你说不好吃，你不是就吃得惯你妈做的饭吗？"

"什么你妈我妈的，老是不改口。"

"你是无所谓，因为你心里嘴里就当我妈不存在一样。你根本就没提过我妈一个字。也不张罗周末去看看她老人家。"

"干吗要我张罗，你是她女儿，你要去就去呗。"

“上周就说过想去，你不是不愿意吗？”

“我哪里不愿意了，不是有事吗？”

陈义刚的声调越来越高，曾菲菲打了一个冷战，觉得完全不认识眼前这个人了，那个一脸温和，颇具老公相的男人哪里去了？

她不想再说什么，转身出了厨房。

陈义刚跟了出来，问她：“你干吗去？”

“什么干吗去？回房间。”

“这事儿还没说完呢！”

“什么事呀？”

陈义刚抓住她的胳膊把她的身子扳了过来，曾菲菲觉得他的样子又好气又好笑，便斜睨着眼睛看他。

陈义刚看到老婆的一双媚眼，立刻没了脾气，他咽了下口水，搂住她，轻轻地但不容置疑地说：“快去洗澡！”

曾菲菲假装不明白：“洗澡干吗？我还不想睡呢？”

“快去，不想睡也得睡。”说完便推推搡搡地把曾菲菲推进了浴室……

一个小时以后，曾菲菲躺在陈义刚的身边，大脑一片空白，似乎一个小时前不愉快的谈话没有发生过一样。陈义刚一点倦意也没有，他一边看电视，一边在心里比较着曾菲菲与前女友陈珂身体的区别。很明显，曾菲菲的臀更有弹性，而且体内的构造也紧致了很多。他暗自喜悦，“男人因性而爱”这句话其实还真没错。虽然也有“男人永远最爱得不到的女人”这种说法，但自古以来哪个帝王不是不停地宠幸他最爱的女人的。

他一高兴，几乎是没经过大脑地忽然搂住曾菲菲，对她说：“老婆，咱们度蜜月去好不好？”

曾菲菲的眼睛立刻被点亮了：“好呀！咱们去哪儿？”

陈义刚想了一下说：“你不是一直想去巴黎吗？”

“真的吗？你愿意带我去巴黎？”

陈义刚认真地点了点头。曾菲菲情不自禁地搂住了陈义刚的脖子：“你真好……老公。”

就在妻子扑过来那一刹那，陈义刚已经有点后悔了，陈的父母经常教育他要勤俭持家，这套房子已经花光了积蓄，但是看着曾菲菲可爱的笑脸，他又不能食言。

小空姐毛那那回到北京了。这个晚上，寂寞感又开始侵袭她的神经，她没有像往常那样约朋友去唐会喝酒娱乐，而是给陈义冰打了个电话，问他在忙什么。在男女相处上，陈义冰是最善解人意的，他自然说不忙，愿意的话，可以接她一起坐坐。

半个小时后，他们来到了朝阳公园附近的一家会所。这里的形式很像酒吧，但是外面没有招牌，不熟悉的人是不会走进来的。有情调的法国歌在他们耳边回响，两个人面对面坐着，气氛不尴不尬的。陈义冰伸手指了指楼梯下面的空间，对毛那那说：“咱们去坐那个沙发吧，舒服些。”

毛那那听从建议与陈义冰并排坐了过去，头顶上不时响起的脚步声，让她颇感压力。她说：“怪不得没人坐这里，感觉好危险啊。”陈义冰呵呵乐了一下：“你多虑了，你一定没经历过挫折，所以觉得什么都是危险的。”毛那那一撇嘴：“难道你是经历了大风雨，可以处乱不惊了？”陈义冰再笑一下：“大风大浪倒是算不上，小挫折可是不少。”

毛那那顺势想问他经历过什么挫折，又一转念，这样一问，闹不好便做了对方的情感垃圾桶，所以就没接他的话茬儿。陈义冰也是随口一说，过去的职场上的一些事他想起来就累，心里也怕她追问。

不过因为对方是空姐，倒是激起了他对初恋女友的回忆，那女人在学校是团支部书记，毕业后当上了空姐，三年前干脆去新加坡干起了职业经理人，之后便把他甩了。陈义冰一直都以风流倜傥自居，这一件事着实打击了他一下，可能也打破了他对婚姻的向往吧。

之后的几年间，女人对陈义冰虽然是必需品，但妻子这一角色在他心里已经模糊不清了，他并不清楚自己还要不要结婚？如果结婚的话，另一半应该是什么样子？真的不知道了。对面这个空姐怎么样呢？没那个团支部书记的知性气质，多漂亮也说不上，身材倒是高挑，皮肤还算白皙，脾气还摸不准。

“你看我干吗？”毛那那一发问，打断了陈义冰的神游。

他又回归常态地说：“你就在我身边，不看你我看谁呀？”

毛那那到底是个涉世未深的小孩子，心想是自己的魅力让对方望着出神，暗自高兴。

陈义冰看到她脸色微红继续说自己想说的话：“其实你挺像我大学时期的女朋友的，她大学毕业就去新航做空姐了。”

“真的吗？”毛那那吃惊：“新航有很多美女呢！”

“是，不过她们的制服和你们国航有一拼，差不多难看。”

“还好吧，人家那个有民族特色。”

陈义冰笑着摇了摇头，往沙发后背上一靠。

“你们分手不会是因为她制服难看吧，哈哈！”

陈义冰手一挥叫来侍者：“给我来一瓶百龄坛的威士忌，再拿些冰块来。”侍者很快就去执行了。

“你怎么要这么多酒呀？”

“多吗？这不还有你呢吗？”

“我？不行不行，我喝不了多少。”毛那那连忙摆摆手。

酒和杯子被拿过来的时候，陈义冰很利索地倒了两杯，并对毛那那说：“没事，能喝多少喝多少，哥送你回家。”

最后，陈义冰喝得烂醉，既没有送毛那那回家，也没说清楚自己的家在哪里，毛那那只得把他带回了自己家。亏了她住在一层，否则这个不太能自理的男人只能被卸在楼门口了。

毛那那好不容易把他扶进屋，之后便将他甩在客厅的沙发上，再翻出一个被子盖在他身上。一切安排就绪，毛那那无奈地看着陈义冰发了会儿呆，就进到卧室去，把门锁好。沐浴完毕，毛那那躺在床上久久无法入睡，外面那个男人的鼾声不时传了进来，他所说的前任空姐女友的事情一直在毛那那脑子里盘旋。

他说那个女人自打毕业收入一直比他高，他努力工作希望有朝一日能找回他做男人的面子，等他实现了这一愿望的时候，她却爱上了一个新加坡小男生。还说他的前女友是职业姐弟恋爱好者，当时帮助自己这个后进生的时候，他情窦初开，不过现在想起来真是一叶障目不见泰山,好女人该有的是吧。毛那那听这个大她很多的男人说着往事，同情心泛滥起来，她从来没见过男人如此脆弱的样子。

毛那那来自单亲家庭，妈妈一直教育她，该找个年龄大的男人，他们折腾够了，会安心地对待年轻的妻子。毛那那一直没有仔细想过什么样的男人适合她，但是空姐这个伺候人的差事她是干得够够的了，她一心想找个年龄大些的，收入较高的男人嫁了，最好能做全职太太。没能拿下陈义刚有点不甘，那个男人实在很有老公相，她想那个叫曾菲菲的女人真幸运，现在没准正在陈义刚怀里撒娇呢。而自己呢，只能隔着门听另一个男人打呼噜。

陈义冰第二天一大早醒来，睡得迷迷糊糊。他忘记昨天喝了酒，觉得与往常在家中的床上醒来没什么区别，十秒钟后才感到异样，首先发现衣服没脱，之后是完全没见过的被子盖在身上，脖子因为枕在坚硬的沙发扶手上，有了类似落枕的疼痛。

他挣扎着坐了起来，费劲地甩了甩头，卫生间里响起水声，他赶紧跳了起来，环视周围的陌生环境，怎么也想不出这是哪里？直到脑袋上裹了毛巾的毛那那出来，他才一惊，说："我怎么在这儿？"毛那那的表情更加吃惊："你昨晚喝醉了呀！忘了？"陈义冰挠挠头琢磨了一阵儿，说："好像是啊，我请你喝酒来着……怎么醉的，记不清了。"

他说着话，心随之一紧，想他们之间不会出什么事了吧！再一看自己的衣服，皱皱的，应该没有脱过，才放了心。

毛那那叹了口气，说："你昨晚唠叨了一晚上你那前女友的事，可真够烦人的，说得我现在都觉得脑袋大呢！"

陈义冰嘿嘿一乐，说："真不好意思啊！一是喝多了，二是你人很面善，一看就善解人意。对了，我没误你事吧，你今天飞不飞呀？"

毛那那打了个哈欠，往沙发上一坐，说："今天休息。为了报答我昨天把你扛回来，你去买些早餐来吧。”

陈义冰赶忙点头答应：“好呀，好呀。但是妹妹，哥哥提个小要求行吗？”

“你说。”

“给咱找个牙刷，毛巾什么的，哥哥先洗个澡行吗？”

“行呀！”小空姐边说边利索地去卧室里找出了牙刷、毛巾，还有一个白色的瓷杯子递给他，并把他带到了浴室。

陈义冰再次表达谢意，洗澡的时候，他东张西望地看着浴室内的布置。洗手池边的化妆品摆放得很整齐，毛巾架上的毛巾也是一丝不苟地挂着，他暗自感叹毛那那这姑娘虽然年纪不大，料理生活的能力还蛮强。

等他洗澡完毕，穿好衣服，准备出去买早点的时候，发现餐桌上已经摆好了油条、豆浆，看来是毛那那买回来的，他心里竟然涌上一股暖流。顺着声音到了厨房，看见毛那那正在煎鸡蛋，他走上前，轻轻地搂住了她。毛那那脸一红，说：“你这是干吗？会碍我事的。”他在她耳边轻轻地说了声：“谢谢你……”

曾菲菲为春节专刊的内容忙活了一阵，终于可以休息一天了，她强烈要求回娘家看一眼自己的父母，陈义刚心里并不太愿意，他隐隐觉得曾菲菲的妈妈不太好相处，又没有合适的理由推托，只能别别扭扭地前往。

因为心情不佳，他唠叨了一句不该说的：“没事别老回你妈家吧，现在油费这么贵，来回好几十块，还要搭这么多时间，不值当的。”

曾菲菲觉得这种话明事理的北京男孩是绝对说不出来的，周末拜访丈母娘天经地义，怎么会想起费多少油这种事呢？她心里一不愉快，话也就横着出来了：“你早干吗去了？可以娶个外地女人呀，她父母不在北京，你一年都用不着去看一次！”

“这和娶谁不娶谁有什么关系？”

“我觉得你思维很奇怪，你可以天天和你妈粘在一起，去看看我妈怎么就这么费劲？”

“怎么费劲了，这不是去了吗？”

“去了又怎样，你瞧你那样子，一百个不乐意。”

“我本来就挺累的，大周末的还要开这么久的车，我当然不会太乐意了。”

曾菲菲的肺像被吹起的气球，随时都要炸掉。鸡同鸭讲的状态又出现在两人之间了，她干脆不说话了，只看向窗外。

随后，曾菲菲担心过的局面终于出现了，曾妈妈的脸一直是冷的，而再次见到丈母娘的陈义刚表现依然欠佳，她心想哪怕装，陈义刚也该和自己的父母亲热点儿才对。结果，大部分时间陈义刚只是坐在沙发上自顾自地看报纸，吃过午饭也没张罗要刷碗，不多久又在沙发上睡着了。

曾菲菲虽然有点生气，但又碍于父母在身边，不好发作。曾妈妈一腔担忧之心也决了堤，她拉着女儿悉数她所看到的陈义刚的种种细节，觉得她这个丈夫根本就是不靠谱。终于，习惯了睡午觉的曾妈妈也在自己的卧室里睡去，曾菲菲走出来，看到睡在沙发上的陈义刚，心情无比惆怅。

她到了阳台上，看着窗外，叹了口气。曾父此时出现在她身后，语气平和地说："别听你妈瞎唠叨，她总是喜欢把事情往坏了想。"

曾菲菲也不知是何原因，这一句话竟然让她瞬间泪如雨下。爸爸看到她的样子，一阵心疼，走上去将她的头揽在怀中。

曾菲菲忍不住开始抽泣，她说："我以为丈夫就是像您这样的，什么事都不和老婆计较，对老婆既温和，又言听计从，还会处处给老婆长面子……"

"傻孩子，婚姻都是磨合出来的，你爸爸我也不是一开始就这样的。再说每个人都有自己的特点，自己的人生观，是需要时间了解的。你们婚结得太快，当然只能在婚后了解磨合了。"曾爸爸安慰女儿。

"唉，反正婚姻和我想得完全不一样。"曾菲菲从爸爸怀中出来，叹了一口气。"当然了，婚姻不是想出来的，是过出来的。……"

晚上六点，曾菲菲恋恋不舍地离开自己生长了二十几年的家，跟着陈义刚返回新家。一路上她闷闷不乐，因为感觉到陈义刚的脑袋基本上是油盐不进的，她也懒得给他分析这次回娘家他的不良表现，她实在不明白，一个在床上那么热烈的男人，穿上裤子怎么就会有如此大的变化，完全不会从妻子的角度考虑问题了。一起夜爬香山的那个温暖的男人哪儿去了？是不是被魔鬼附了体。曾菲菲想起一句话：决定嫁给一个人，只需要一时的勇气；而守护一场婚姻，却需要一辈子倾尽全力。

陈义刚当然能感觉到新婚妻子兴致不高，但他内心也感到不快，自己今天为了她做了不情愿的事，驱车跑了趟郊区，她还有什么不满足的？两人一路无语。

与敌同眠

曾菲菲忽然感觉人生如梦，
一旦踏入婚姻，
才知道男人并非像她从前认为的那样，
会将她如明珠一般捧在手里。

曾菲菲的好姐妹钱小美躺在丁麦的怀里享受甜蜜，这男人身上淡淡的古龙香水味道让人着迷。丁麦则一边轻轻抚摸着她滑嫩的肌肤，一边观察她的体形。说实话，这女人的内部结构要比外部结构好，如果在一片漆黑之下交合，感觉还是非常销魂的，但是她腰上那若隐若现的袖珍救生圈还是有点煞风景。当然，萨特爱波伏娃也不是因为美貌，王小波爱李银河也不是因为美貌，只因他们之间的契合。

最早吸引他的是钱小美的声音，非常柔美，再有，他觉得他们之间有种很自然的默契，沟通起来毫不陌生，似曾相识。他觉得这个女人能带给他“家”的感觉。他做了这么多年的浪子，经历的女人自己都快数不清了，甚至各种刺激的玩法也难以再激发他的热情。他认为这样下去是危险的，他要找一个别样的女人，使自己从迷茫与飘摇中安定下来，钱小美出现得很是时候。

但是她那个好朋友曾菲菲就出现得不是时候了，他一眼便知这女人是个“妖孽”，看似无辜，其实是十足的祸水。让他刚平静下来的心，又荡起微澜。

“你想什么呢？”钱小美的提问打断了他的思绪，同时一翻身坐在了他腿上，与他面对面。

“没想什么呀？被你搞得有点累。”

“不会吧？你这么容易累？”钱小美亲了一下他的额头，从他身上翻了下去。“你确定你爱我吗？”钱小美并没有看他，但她的问话让丁麦吃了一惊。那淡定的语气，仿佛说明她读懂了他刚才在想些什么。

“干吗这么问？”丁麦闪烁着。

“呵呵，没什么。”钱小美还是没有看他，接着说：“我是个吃亏吃惯了的人，虽然我依然相信真爱，但也做好了被再次伤害的准备。”

丁麦使劲搂了搂她的肩轻轻地说：“你说什么呢？”

“你是不是很喜欢我的朋友曾菲菲？”钱小美依然平静地问。

丁麦冷笑了一下：“我几乎忘了她的名字了。”

钱小美一回头看着他的眼睛，带着些许嘲弄意味地说：“但是你记得她的样子，对吧。”

这回换做丁麦一翻身，把她按在身下，说：“你这是什么意思？吃醋了吗？”

钱小美一汪春水地看着他，浓浓的眉毛，精致的五官，帅得令人心碎，像是自言自语地说：“我到底要被伤几次才够？”

“别傻了……”丁麦亲了亲她的唇，再次用身体摸索着她的身体，在进入她的那一刻，他闭上眼睛，脑海里果然浮现出了妖孽曾菲菲的身影。

无论你快乐与否，时间从来不会停下脚步。福与祸，祸与福相依而至，大多数人都无法掌握两者转换的规律，只有盲目地经历着一切，并体验着各种经历带来的感受。

媒体圈又要聚会了，腊月刚到，“组织部长”欧阳赞攒了个派对准备迎接新春。陈义刚并不喜欢曾菲菲有过多的私人交往，虽然她心理上并不情愿改变自己的生活方式，但是为了避免再次争吵，还是会做一些让步，最终曾菲菲婉拒了欧阳赞的邀请。但是她终于没有推掉赵克凡的邀约，这一次距上一次在赵克凡家的“告别仪式”，已经三个月了。

所有男人都会说，女人既然已经结婚，就不要与前男友再有任何牵扯。女人们有时并不这么想，她们会觉得既然已经成为过去，有什么不能再次面对的呢？下午三点，他们像从前一样在咖啡厅里并排坐着，赵克凡已经不再纠结，两个人都很平静，像久别的战友。

“他能像我那样欣赏到你的美吗？”赵克凡问。

“他当然会觉得我不错，否则怎么会这么快求婚？”

“未必，我觉得不是每个男人都会欣赏女人，你的长腿，完美的比例，是可以做模特的身材，还有你的手，柔软无骨，修长，他能看得到吗？你背上有一颗漂亮的小痣，还有你深深的足弓……你是个爱幻想的单纯的姑娘，你需要对方认真地欣赏你，包括身体和思维……”

曾菲菲听着这些话，闭上眼睛靠在沙发上：“你何必和我说这些呢？你记得又怎样？”

“你应该找个真正读得懂你的优秀男人结婚才对，我总觉得你不该这么仓促。”赵克凡语重心长。

“你怎么知道他就不懂我？他很爱我的，春节假期还会带我去巴黎玩……”曾菲菲说。

“可我觉得你不幸福……”

“你凭什么这么说？”

“因为你明显瘦了。”

“瘦点不好吗？所有女人都想瘦。”

赵克凡侧过头来看了曾菲菲一阵儿，慢悠悠地说：“菲菲，在我面前，你何必那么逞强呢……”

曾菲菲不知道这简单的一句话哪里来的力量，竟然让她的泪水流了下来。赵克凡很懂事地递过纸巾，之后便搂她入怀：“我其实有点后悔了，怎么当初没有娶你。”

曾菲菲边抽泣边说：“你少来，你以为自己有多重要。”

“不是我多重要，是我们价值观相似，起码我不会让你像一个普通的妇人那样，在无聊的婚姻中熬成黄脸婆和怨妇。我父母一直不合，我知道婚姻是什么面貌，所以我不想结婚。或许女人即使知道婚姻是火坑还是要往里跳的，你这样……我很内疚，感觉是我推了你一把……”

“别无聊了行吗？”曾菲菲的语气已经不那么强，但是她依然不肯认输："我会过得很好，你别老操心这些没用的了。"曾菲菲的话不止是要说给赵克凡听的，也是说给自己。与陈义刚虽然性格上有不合之处，但对方毕竟没有做什么出格的事。赵克凡叹了一口气："我是心疼你，干吗非要一夜之间就把我当作坏人呢？好歹是个老朋友吧。事情已然这样了，我更想你当我是亲人。"

曾菲菲从他的怀里脱身，再一次靠在沙发背上："我有点娇气，你该知道。"

"是，是有点。"赵克凡点点头。

"所以我哭不代表我真的受了多大委屈，OK？"

赵克凡再次点点头，说："我明白了。但是我再说一句，真有不开心的时候，别和别的什么男人倾诉，想说就找我说。MSN上，或者见面，都可以。我以后来北京出差的机会还是挺多的。"

"为什么非要找你？"

"因为，咱们太熟悉，再有，我已经伤不了你了，不是吗？"

回家的路上，曾菲菲的脑子反复想着赵克凡的话，她忽然觉得从前和现在的自己都太自我了，这个男人并没有那么可恨，她甚至都没有去探究过他的内心为什么那么抵触婚姻，只凭自己的想象认为他没有责任感。

记得有一次，他们两个正在他的公寓里玩，门铃响了，他立刻让曾菲菲收声，自己则悄悄地从猫眼向外看，按门铃的是母亲大人，他赶紧让曾菲菲躲进卧室，关上门。不一会儿，曾菲菲听到了门开的声音，接下来是母子两个人用浙江方言对话，如同外语一般听得她一头雾水。

十几分钟后随着关门声，赵克凡的母亲离开了，曾菲菲则躺在床上看着天花板发呆。她没有问赵克凡为什么把她藏起来，这种问题让她觉得贱贱的，她没事人一样地在床上躺了一会儿就说有事要回家，虽然心里气得很，表面上却无比轻松。

现在想起来，他们两个人在一起的时候，虽然很快乐，但是真像莫文蔚的歌里唱的那样，“两个人都忘了搭一座桥，到彼此的心底瞧一瞧……”，想着想着，曾菲菲的眼眶又湿润了，她想薄情之人伤他人，多情之人却偏偏伤自己。几个月来，她一直想让自己麻木，但终于拦不住这一次见面，让自己情感决堤了，好在刚才还是理智的，否则就要犯错了。

曾菲菲百感交集地回到家，一开门，便看到了在厨房忙活的陈妈妈，不由得叹了一口气，实在是没有心情招呼她。陈妈妈耳朵很灵敏，一听门口有动静就转身小跑着过来，从曾菲菲手中接过包。

曾菲菲轻轻地叫了一声“妈妈”，虽然没敢抬头，但还是被陈妈妈看出情绪不佳。

“怎么了？菲菲，气色不太好呢？”她问。

“没事，身体来事儿了，不太舒服。”

“那我给你煮点姜糖水好不好？”

“不用了，妈，我躺一会儿就好了。”曾菲菲迫不及待地向卧室走去。

陈妈妈似乎还想说点什么，但随着曾菲菲进了卧室关上门，也只得作罢。

曾菲菲坐在床上想起很多往事，有和赵克凡的片段，也有更早的事情。自小学五年级开始，就有男生追求她了，当时她还很恐惧，再到中学时期的纯真异性友情、初恋，大学时的短暂情缘……曾菲菲忽然感觉人生如梦，一旦踏入婚姻，才知道男人并非像她从前认为的那样，会将她如明珠一般捧在手里。

正想着，陈义刚推门进来了，面色不太好看。曾菲菲抬眼一看时钟，才发现已经快七点了，竟没有注意到他什么时候回家的。

“你怎么了？不舒服？”陈义刚淡淡地问她。

“哦，是有点。”曾菲菲的反应也暗淡。

“妈让我叫你吃饭。”

“算了，你们先吃吧，我想一个人呆会儿。”

陈义刚不太高兴，说：“你还是去吧，免得一会儿还要妈给你热。”

“当然不用，我本来也不需要别人伺候。”曾菲菲对于陈妈妈不请自来并不欢迎，再加上有心事就更觉烦扰。

陈义刚转过身朝门口走，又停住了，他背对着曾菲菲说：“你再忍耐他们几天吧，他们春节后就回老家了。”

曾菲菲听到这个消息有点吃惊，问：“为什么？”

陈义刚没有回头：“没说，或许觉得你不喜欢他们吧……”说完就向饭厅去了。

曾菲菲觉得陈义刚的逻辑奇怪，他父母有独立的住房，干吗这么在乎自己是否喜欢他们，只是别经常不打招呼就跑过来就好了，现在这个样子，倒好像是她曾菲菲把他们逼走了一样。她的思绪随着陈义刚的出现回到现实，还是下了床去吃晚饭，刚才想起的恋爱片段似乎已经是前尘往事了。

饭桌上，曾菲菲才知道陈爸爸今天发烧了，所以只有陈妈妈一个人过来。陈妈妈很善意地觉得自己一个礼拜没来帮小两口收拾屋子和做饭了，有些担心他们自己照顾不好自己。曾菲菲心情复杂，觉得应该感谢她，但又暗暗埋怨，要不是婆婆这么处处照顾纵容陈义刚，使得他习惯了享受，他可能会对老婆的父母恭敬一些，表现也会好一些。

送走了陈妈妈，陈义刚和曾菲菲两个人各忙各的，沉默了一段时间。曾菲菲敏感的神经极其不舒服起来。陈义刚心里也不是滋味，昨天，陈爸爸和他提回湖北老家的事，让他有点难过。除了大学几年，父母一直和他生活在一起，撇开照顾他的生活起居不说，那种其乐融融的氛围他已经习惯了。

从前没有想到过，成立一个新家庭竟意味着要远离一手将自己培养成人的两个老人。他也明白这事怪不得曾菲菲，大城市里的女孩儿希望保持一点小家庭的独立性，很正常。相处几个月来，他对曾菲菲有了些认识，这女孩儿人还算善良，就是有点儿娇气、二气。比较让他头疼的是，她是与母亲截然不同的女人，不大会照顾男人，家务也干不太好。

他倒没后悔过结婚这件事，他还是喜欢她的，年轻漂亮，还被很多人称为才女。只是辛苦一天回来，没人端上一杯热茶，说上一句暖话，上个卫生间还得面对一筐几天没洗的脏衣服，他干脆把这个漂亮老婆定义为“闲妻凉母”。

曾菲菲把对一个艺人的采访提纲写好，发给经纪人后，起身活动了一下筋骨。

陈义刚说："去倒杯水给我。"

"自己去！"

"让你去你就去嘛！你自己也要多喝些水呀，对身体好！"

曾菲菲的逆反心理被激发起来，两个人为喝水的事你一言我一语地争执起来，最后发展成为争吵。

这是他们第一次真正意义上的吵架，陈义刚因为父母要走的事不开心，说了重话，曾菲菲觉得他简直是不可理喻。最后，陈义刚水也没喝，继续写他的客户方案。曾菲菲跑进卧室，"砰"的一声摔上了门。

陈义刚重新梳理着思路，将写过的部分看了一遍，还没继续动笔，卧室门又"砰"的一声开了，曾菲菲拉着一个拉杆箱出来了。她刚到门口，陈义刚就冲了过来。"你这是干吗？"他问话时才发现，曾菲菲的眼睛哭肿了。

"怎么了？这是？"

陈义刚欲夺下她手里的箱子，但是曾菲菲紧紧抓着就是不放手："你别管我，我要回家。"

"回哪个家？"

"回我妈家！"曾菲菲的眼泪说着又下来了，婚后几个月堆积起来的一腔委屈倾泻而出。

陈义刚心情更加烦乱，他强硬地拉过曾菲菲的手，把箱子推到一边："别闹了，好不好，我已经够烦的了！"

"烦，我正好走掉，没有我你就高兴了！"曾菲菲不经意中发现自己吵架时的口气与自己的母亲如出一辙。

"走什么走呀！"陈义刚还是没有哄她，只使劲推着她向卧室里走。

曾菲菲来回挣脱了好几次，又过来抓拉杆箱。陈义刚干脆夺过拉杆箱放在身后，曾菲菲再扑过来的时候，他一把紧紧搂住她不松手，任凭她怎么挣脱，他只死死缠住她。终于，陈义刚把曾菲菲按在了卧室的床上，两个人都累了，曾菲菲始终没等到丈夫的道歉，怨气无法消除。

身边陈义刚的鼾声响起，曾菲菲却难以入眠。她想起自己年少时看的一部由茱莉亚·罗伯茨主演的电影《与敌人共眠》，女主人公嫁给了一个追求她的男人，很快结了婚，婚后才发现男人对她极其挑剔，而且还是一个变态，经常虐待她，最终她经历了九死一生，才逃出那男人的魔爪。她超常的想象力开始发散，他居然把父母要回老家的帐算在她头上？

她想自己身边这个男人会不会还有很多阴暗面没被自己发现？自今天开始，他们会不会经常争吵？他会不会永远都不哄她，任她苦闷下去？想着想着，她终于睡着了，还做起梦来。梦里，陈义刚像迪斯尼动画片里的人物一样，被她攒成了一个大皮球，她高兴地拍着球，让丈夫一次次从地上狠狠地弹起来，拍着拍着，她竟乐出声来，同时也醒了。

她发现此时丈夫正眯着眼睛看着她，说："看，我老婆多幸福呀，睡着了都能乐醒……"曾菲菲"哼"了一声，转过身继续睡。

曾菲菲的工作是不用坐班的，所以她经常比丈夫晚起，陈义刚已经习惯了。第二天一早，陈义刚起床洗澡、穿衣，看曾菲菲完全没有醒来的意思，想她可能是前一天晚上闹累了，也没有叫她。

他看着妻子熟睡的脸，样子很甜美，他有点后悔昨晚没有哄哄她，女人嘛，其实该让着点。但是，在自己生长起来的家庭里，爸爸很强势，妈妈向来言听计从，可能是耳濡目染，陈义刚很难说出那些让女人高兴的肉麻话来，他有点歉意地亲了亲曾菲菲的脸才离开。

客厅的门是防盗门，本来一关就能带上，但是陈义刚还有点不放心，他想万一有坏人进来怎么办？看到漂亮的曾菲菲起了歹心怎么办？他特意从外面将门锁紧了，拔出钥匙后还拽了拽，确认无误才离开。可惜的是，陈义刚内心的这丝丝情意，熟睡中的曾菲菲全然不知。

荣幸与不幸

这种事遇到得多了，
曾菲菲有一种倦怠感，
这个时代男人都很直接，
女人也别太拿这些屁话当回事吧。

曾妈妈最近老是失眠，就算睡着了，也经常梦到曾菲菲哭。曾爸爸觉得她这是神经过敏，儿孙自有儿孙福，老瞎担心什么呀。但是老头儿心里也不轻松，女儿那天在家里哭，他还是挺揪心的。

但男人考虑问题相对女人要理智一点，他想自己当初结婚，两个人也矛盾重重，后来不是也好了吗？主要是自己先没了脾气，也渐渐开始懂得迁就老婆，菲菲个性和她妈妈有点像，他相信女儿早晚有办法制服自己的老公的。

曾妈妈还是不听劝，又给女儿拨去电话。曾菲菲被一阵急促的铃声吵醒，妈妈的声音比铃声还要急躁："菲菲呀，妈妈不踏实呀，你那边过得怎么样呀?”

曾菲菲虽然想着昨晚吵架的情景，但是嘴上却说：“我挺好的，没事，别瞎操心了。”

“我能不操心吗？天天做梦啊，你们就这么无声无息地结婚啦，婚礼还办不办啦?”

“办呀，这不是天冷，工作又忙吗？明年肯定办，到时候带您做件漂亮旗袍去。”

“你可要不时地催他这事儿呀，太随和了，人家该不重视你了。我们年轻的时候哪能像你这样，认识没几天就……”

“哎呀，妈，我知道了，肯定办。”

“家务现在谁做?”

“他爸爸妈妈做。”

“啊，你们住一块儿了?”妈妈诧异，以为老两口搬进了新婚小两口的家。

“没呀!”曾菲菲解释：“他们就是过几天来打扫一次，这事儿也有点烦，有时候我还没起床呢！不过他们近期就要回老家了。”

“回老家？也好，这样陈义刚没了依靠，可能还会顺溜点儿。”曾菲菲为了给妈妈宽心，本来想说老公没有她想象得那么坏，但是因为气没消，也就懒得替他说话了，母女俩聊了些琐事，就挂了电话。

没过多久，曾菲菲想起自己今天要收一个重要的稿件，晚上就要发版，于是顾不得梳妆，先打开电脑上网，可不知道家里的网出了什么问题，怎么也连不上。曾菲菲赶紧洗漱，化了淡妆后就往杂志社去了。到了写字楼下，她正琢磨着是先把电脑和包包放上楼，还是先去买点早餐，不经意间一抬头，竟然看见了一个熟悉的面孔，而且两个人差点撞个满怀，是钱小美的新男友丁麦。

丁麦先笑了："是你，真意外，你在这里办公？"

曾菲菲也笑着说："是呀，真巧，没想到能在这儿见到你。"

丁麦还像上次见面一样风度翩翩，不过因为着了西装，显得干练成熟了许多，他再次微微欠了一下身子："我还是想说，认识你是我的荣幸，但是……"他的语速慢了起来。

曾菲菲好奇："但是什么呀？"

丁麦补充到："但是，认识我可能是你的不幸……"

曾菲菲被他的语气和眼神搞得心里毛毛的，低下了头说："你开玩笑了。"

丁麦呵呵一笑："你是在楼上的《特色》杂志社工作吧？"

"是呀。"

"那我们还有机会见面的。"丁麦说着，轻轻拍了拍她手臂的外侧："那我先走了，回头见！"

曾菲菲点了点头，迷惑今天这个男人的气场怎么有点莫名其妙的强。看着这个男人远去的背影发了会儿呆，她已经忘了早餐的事，直接上楼了。

一进办公室，曾菲菲就发现会议桌上放了十几份包装精致的喜糖包裹。

"哇！有人结婚了啊？"她拿了一包在手上把弄着。

坐在电脑前的苗豆豆一回头："对头，就是本大小姐！"

曾菲菲很吃惊："你！你不是前几天还说自己是苦闷的剩女吗？"

她边说边打开包装，里面竟然是可爱的费列罗巧克力。

曾菲菲的肚子已经饿得咕咕叫了，拿了一颗放进嘴里："好奢侈呀！居然是巧克力。"

苗豆豆说："我们到现在刚认识十天啊，昨天买的喜糖、扯的证。"

"天哪！你没开玩笑吧！"曾菲菲本来以为自己已经是闪婚了，没想到还有闪得更快的。

"是，我老公很好的，他喜欢文艺女青年，哈哈。"苗豆豆一脸幸福。

"恭喜你啊!"

曾菲菲这话说的有点勉强，哪怕是半年前，看到自己的朋友同事结婚，她都会真心送上祝福的。而现在，自己尝到了婚姻的滋味，反而有点替对方担心了。

"你胆子真大。"曾菲菲不经意地说。办公室里只有她们两个人，苗豆豆小声地对曾菲菲说："他条件不错的，就是老了点，比我大十五岁。说实话，我这工作也不太想干了，又辛苦，领导还老给我穿小鞋，这个月工资又给我打了C。"

"可是你了解他吗？就这么几天？"曾菲菲想说外一不合适怎么办，但还是忍住了。

她忽然有一种冲动，从身后轻轻抱住了苗豆豆。苗豆豆很意外："你这是干吗？"

"你结婚了，真好，祝福你……"

"真神经，别抖骚了！"

苗豆豆笑着推开她："你也赶紧找个人嫁了吧，别天天就是采访呀，稿子呀，咱们媒体这行就是青春饭，等你老了，社里也不待见你了，男人也不待见你了，那就惨了。你看过最近特热一帖子吗？《时尚编辑没前途》。”

曾菲菲应和着：“好，我听你的……”

“周末咱们唱歌去吧，好久没玩了。”

“好，你选地方吧……”

时尚类杂志的编辑们之间，有两种关系，惺惺相惜和势不两立。前者是朋友，后者是敌人，而且关系的好坏并不以职位决定。同级可以，上下级依然可以。

文字是个没有统一衡量标准的工作，所以上司的好恶能直接影响到下属的前途。只要和领导气场不合，选题多次通不过，出点小错被扣薪水，工资系数莫名其妙地做低，这种事情就难以避免。

比如苗豆豆这种古灵精怪，让高层喜爱的小美女，总会让中层领导感到自己的地位在未来几年岌岌可危。她又没有真正的后台，日子便不可能过得太舒服。

而曾菲菲这种在圈子里有点小名气，看起来又与世无争的角色，女性上司通常对其是既不喜欢，也不讨厌；既不压制，也不提拔，也就只能周而复始地干着分内的事。那些虽然没有才华，却情商极高的主儿才是最有前途的人。

苗豆豆不知道从哪里看来的话，经常说给曾菲菲听：“知道吗？工作干不好通常有三个原因：第一就是上面老换人；第二就是自己人老搞自己人；第三就是上面没人。

曾菲菲的大伯子陈义冰又开始谈恋爱了，对手是小空姐毛那那，虽然他心里不愿意承认，实际上他多多少少还是很怀念他的“团支部书记”。

春节快到了，毛那那要回山东老家，希望能给父母买些礼物回去，小时候她恨过甩下母亲和自己的父亲，但现在基本释然了，血毕竟浓于水。

虽是一母所生，陈义冰却和陈义刚的个性非常不同，陈义刚一进商场就头疼，陈义冰只要不忙，倒是很乐意陪女人闲逛，但是他很少贸然买单充英雄。而且陪逛是可以的，陪毛那那回老家的心思还完全没有。

世界有时候非常小，他们在商场里碰上了钱小美，当时，毛那那与钱小美的手同时摸到了一件男士衬衣。钱小美一抬眼，目光停在了毛那那身边的陈义冰脸上，陈义冰正用手摸索着毛那那的后脖颈。那一刻，钱小美的心忽然有点痛，陈义冰则觉得亲切和温暖。“钱小美！”他很高兴地叫她，即刻把手从毛那那身上拿下来。

“你好呀，好久不见，气色不错呀。”钱小美故作平静。“呵呵，”陈义冰大方地给毛那那引见：“这是我一朋友，叫钱小美。那那，你先逛着，我和朋友叙叙旧。你完事给我电话啊……”转而又对钱小美说：“跟我来，我知道附近有个咖啡厅。”两个女人都还没了解到状况，陈义冰就拉着钱小美的胳膊往门口走去。

“你这是干吗呀？”钱小美觉得他热情得奇怪。

陈义冰说：“高兴呀！这么久没见了，你不高兴吗？”

钱小美跟着他走进一层的一家咖啡厅，说：“你觉得我会高兴吗？有什么可高兴的？”

陈义冰找到一处舒适的沙发座位，示意钱小美先坐下，他说：“我一直不敢给你打电话，怕你不理我。咱俩毕竟朋友一场，而且你是个好姑娘，我当初是不想拖着你。”

钱小美一乐：“那你现在也别拖着我行吗？有意思吗？我还得回家做饭呢！”

“做什么饭呀，晚上和我们一块儿吃吧。”

“别，你干吗？在我面前秀幸福？”

“不是，我就是觉得咱们相处得一直挺好的，虽然不适合结婚，但是没事一起坐坐，聊聊天，也不错。”

钱小美越发地觉得陈义冰莫名其妙，陈义冰自己也不清楚为什么，看到钱小美让他心情舒畅。也许钱小美是他交往的女子中唯一没有从他这儿获得什么，也没有伤过他的心的女人吧，他心里明白这个女人的情意值得珍惜。

钱小美觉得他们的分手没什么可回味的，除了让她自尊心受到了伤害，再没有任何意义。但是她为人一向大肚，不爱纠缠细节。倒是想起了大半个月没见的曾菲菲，于是她问：“菲菲怎样了？嫁到你们家，过得还好吗？”

“她怎么样你不如问她呢！我最近没怎么和我弟弟联系，也没去他家。我前些日子倒是问过我弟弟新婚感受，他就说，北京女孩儿挺难伺候 ，呵呵。”

钱小美想起曾菲菲也说过婚姻完全不是她想象的那样，这种谁都不满意的事当初怎么就办成了呢，奇了怪了。

侍者来了，两个人各点了一杯咖啡，之后面面相觑起来。陈义冰怎么看钱小美都像久别重逢的哥们儿，而钱小美平日里最恨的就是男人把她当哥们儿，所以呆着呆着就觉得气场不和了。正好毛那那打来了电话，陈义冰“嗯嗯啊啊”了一阵，又说让对方等一会儿之类的话。钱小美很知趣地起身，没等陈义冰挂电话就说：“你让她过来吧，我还有事先走了啊……”虽然，陈义冰在身后“哎哎”了两声以示挽留，但钱小美并没有回头，义无反顾地离开了。

不多久，毛那那找来了，一上来就问：“那个姐姐是谁呀？”

陈义冰还有点发呆，迟疑了一下，说：“我不太对得起的一个姑娘。”

毛那那一笑：“你是不是对不起很多姑娘呀？”

陈义冰苦笑了一下：“没有，真对不起的女人很少……”

在这一刻，他忽然有了一种倦怠感，他觉得自团支部书记之后，每段感情都充满了迷茫，他笃定的情缘破碎之后，就不知道情感为何物了，看到了钱小美，让他想起这个女人曾真诚对待过自己，一无所求。此刻，他真心地祝福她能够得到应得的幸福。

钱小美默默地走在回家的路上，两行热泪不知何时流过了脸颊。想想自己从青少年时期到现在，每次都坚持投入感情，至今也没有破茧成蝶，依然是浑身伤痛的菜青虫一条。没有哪个女人不需要归宿，可是她钱小美今生能情归何处呢？她又上了地铁，在地铁里，她再次想起自己的初恋男友唐西。

十几年前，他们是热爱艺术的孩子，他们都喜欢程衣的画作。一个炎热的夏季，程在美术馆办画展，男友用积蓄买了两张票，程衣刚好在现场为买他画册的人签名，两个穷学生身上没有买画册的钱，而钱小美却很想要画家的签名。

于是小男友拿着票排队，想让画家为他的女友签个名，排到了，却被告知只能在画册上签，被拒绝了。钱小美很绝望，靠在墙上流下绝望的泪。男朋友一直等到签名的人散去，再上前找到程衣，说我的女朋友很喜欢您的画，但是我们没钱买画册，您能给签个名吗？我们会好好保存的。

最后，他还是没有要到签名，只能紧紧地搂着钱小美，抚慰她失望的心，那是钱小美至今听到过的最温暖的心脏跳动的声音。如果回到从前，她一定会把那张没有签名的票收藏好，如果能回到从前，她一定不会对他说："我要留在北京发展，我们只能分手了……"

可是，当年她只会开心地唱着刘若英的《后来》，从没有认真去理解那两句歌词的含义，"后来，我总算学会了，如何去爱，可惜你，早已远去，消失在人海。后来，终于在眼泪中明白，有些人，一旦错过就不再……"

她想着想着，给曾菲菲拨了个电话："妞儿，咱们找一天去唱歌吧，想唱了。"曾菲菲笑起来："怎么现在大家都想唱歌呀？下午我们同事还说要去呢！""是吗？那就一起呗。""成成，这个周末就满足你。"

周末的"以歌会友"活动，参与者队伍很庞大，二十者众，钱小美带了丁麦一同参加。陈义刚是死活不愿意露面，所以他又失去了一个被大家认识的机会，曾菲菲依然以单身贵族的面貌出现在练歌房的大包间里。

其他女孩儿都带了异性伙伴，有正式的，也有临时的。曾菲菲看到丁麦，想起他那天上午在写字楼前对她说的话，总觉得怪怪的。正想着，苗豆豆突然把脸凑了过来：“我怎么觉得你姐们儿带的那哥们儿那么眼熟呢？好像在社里见过！”“哦！”曾菲菲更加觉得怪了，就好像预感到有什么不好的事会发生一样。

丁麦很大方地点了几瓶威士忌和几十瓶绿茶。

钱小美成为今晚最大的麦霸和酒缸，不了解情况的人，闹不好会认为她有“肥水不流外人田”的小农思想。而实际上，那天碰到陈义冰后，不但激起了她的一些纯情回忆，同时也让她感觉到了现实的迷茫与苦闷。

她先唱了以《后来》为代表的刘若英系列，没休息多会儿，又嚎上了以《她来听我的演唱会》领队的张学友系列，并且唱得泪流满面，丁麦则贤惠地为她进行着端茶递酒的服务，他自己则滴酒未沾。唱歌过程中，他没怎么和曾菲菲说话。

钱小美倒是一个劲地和曾菲菲干杯，曾菲菲也喝了不少，而且，丁麦给她往杯子倒的绿茶比例有点低，渐渐地她的头有点晕了。到了十点半，她觉得实在该回家了，就和钱小美告别。钱小美此时已经放弃麦克风，倒在沙发上一会儿哭，一会儿笑地闹了一阵。丁麦说：“这样吧，你也喝了不少，我先送你再送钱小美。”曾菲菲婉拒了半天，丁麦坚持要送，最后没拗过他。

钱小美被抬到了后座，上车后她嘟囔了几句话就睡了。曾菲菲说完地址后，就坐在副驾驶上，不再说话。相当长的一段时间里，车上一片寂静。“你怎么不说话？”丁麦微笑着打破寂寞。“头有点晕。”

曾菲菲说的是实话，她的头真的晕，甚至有点恶心。她想，如果能醉过去多好，这么晚回家，可能又要争吵了，真不想面对。

“你长得这么漂亮，怎么会一个人过周末呢？”丁麦问。

“不是呀，我老公在家呢！”

“啊，你结婚了？我都不知道。”

“钱小美没说？”

“她没说。你看起来还真不像结了婚的女人。”

“已婚女人还挂相儿呀？”曾菲菲问。

“也是，现在的女人自己不说，完全看不出婚否来。要么现在流行一个词‘隐婚’呢！”

“‘隐婚’？这词有意思，就是伪装的单身吧？”

“对，就是这意思。遗憾，我还真希望你是真单身……”

曾菲菲一笑，没接他的话茬。他们很快就到了曾菲菲所住的小区，丁麦在门口停下车，他回头看了看钱小美，她一动不动地在后座上睡着。再看看身边的曾菲菲，忽然含情脉脉起来：“你下去之前，我得和你说句话。”

“什么？”

“我……喜欢你。”

这种事遇到得多了，曾菲菲有一种倦怠感，这个时代男人都很直接，女人也别太拿这些屁话当回事吧。她没回应，晕乎乎地下了车，丁麦追了过来，拉住她的胳膊，说：“让我亲一下吧。”

曾菲菲推开他：“知道吗？有伟人说过，一切不以婚姻为目的的谈恋爱都是耍流氓。”

丁麦被逗乐了：“哪个伟人说的？”

“以后告诉你，我走了……”

曾菲菲貌似高高兴兴地走了，留下丁麦在那站了两秒。他回到驾驶室，从后视镜上看到钱小美竟然已经坐了起来。“你好点了吗？宝贝儿。”他问得很自然，似乎并不担心钱小美看到自己刚才的举动。

钱小美冷笑了一下，此时想不恨曾菲菲都难了。怎么所有的男人都喜欢曾菲菲，就连裴彤那样本该有些思想的，也喜欢形式上的美女。她们四年的友谊呀，曾经亲密无间，如今，却因为有了男人的介入而发生了翻天覆地的变化。当理智战胜情感时，她会觉得这些事怪不得曾菲菲，但因为这一年来类似的事情一件接着一件，她真有点恨她了。

丁麦并没有隐藏自己的想法，他说：“小美，你是我女友，而你那个朋友可以成为我们的玩伴。我在瑞士留学的时候见识过，欧洲人换偶活动很正常，这并不会伤害爱人间的感情，反而能让婚姻更持久。日本人也一样，酒井法子与自己的老公和同性好友一直三人行不是也挺好？咱们都是受过高等教育的人，不会不懂人的动物性，但是精神的契合又是另一回事，对吧……”

“我担心的事终于发生了……”

“现在有多少人在偷偷地出轨，与其那样我们不如坦诚一些，你说呢？我爱你，所以我更不想背着你做这种事。”

钱小美叹了一口气，无力地靠在座椅的后背上。丁麦没有急着发动车子，他看钱小美状态不太好，就下了车再坐进后座，将钱小美搂在自己怀里：“你要实在不愿意，我就不再惹她，但是我不能保证和你一起，后半辈子就不沾别的女人了，其实这点谁都没法保证，包括你。”

钱小美酒后头还是晕的，她靠在丁麦的肩上，能闻到他身上迷人的烟草味，听了他的话，她缓缓地说："我累了，真的……过些时候再想这个问题吧。你要找她就找，但是别让我知道……"

丁麦拍了拍她的肩，说："既然你这么介意，那好吧，我答应你不去惹她了，OK！我送你回家，你累了，咱们早点休息。"

钱小美也懒得再想什么事，但是此时，胃里一阵阵翻江倒海，估计是酒精的作用，她忽然拉紧丁麦的手，轻声说："我恶心，想吐。"丁麦赶紧扶住她，同时打开了车门："好，好，那咱们先下车透透气，找个角落，能吐就吐出来。"

钱小美轻轻地点点头，丁麦帮助她下了车，扶着她找到小区门口的一个树坑。钱小美弯下腰，腹部一阵发紧，丁麦体贴地为她拍着后背，在两个人的共同努力下，钱小美终于伴随着眼泪、鼻涕吐了出来。

钱小美觉得这种狼狈的时刻，身边有一个能承担她孤寂的男人真好，她竟不责怪他刚才对闺蜜的失态了,女人有时候就是没立场。她靠在丁麦的肩上休息了一会儿，似乎又回到了学生时代，那肩膀也似乎是初恋男友的了，直到丁麦扶着她坐回副驾驶的位置，她才又回到现实中来。

丁麦拍拍她的手背，微笑了一下，发动了引擎，准备出发。但不巧的是，刚才进了小区的曾菲菲不知道怎么急匆匆地跑了出来。钱小美真希望他没有看见，只是这安静的街区忽然跑出一个女人实在是太引人注目了。

丁麦摇下窗户，大声问："曾菲菲，你干吗呢？"

曾菲菲看到他的车没走，跑了过来，到了跟前，钱小美才发现她泪流满面，她也摇下窗户，问曾菲菲："你这是怎么了？"

曾菲菲的样子很无辜，梨花带雨地说："我一回家他就冲我发脾气，我们拌了几句嘴，他竟然用脏话骂我……气死我了……"

钱小美还没说话，丁麦就说："靠，我最见不得男人欺负女人了，跟我们走吧，给丫点教训。"但他即刻感到了钱小美冷冷的目光，于是没有主动开车门。

钱小美下了车，吐过之后，她觉得身体轻松了一些，但气力还是有点弱，她对曾菲菲说："离家出走也不是办法呀，有问题总得面对，你跑掉了，事情不是更复杂了吗？"

"可是我生气，怎么可能还和他睡在一个床上？"

钱小美叹了口气："我是你的朋友，应该帮你没错，但是不能帮你逃避呀！"

曾菲菲有点失望，她想，自己在婚前有了问题经常会去找钱小美，两个人腻在一起一阵，心情就会好很多，现在就因为自己结婚了，一切就如此不同了？她为什么不能把她带回家，让丁麦回自己家呢？再一转念，钱小美正在热恋，自己确实不该对她有过多的期待了。她勉强挤出一丝微笑，说："没事，我再去别的朋友那里好了，不早了，你回去休息吧……"

正说着，小区门口出现了一东张西望的身影，钱小美一看便知道是陈义刚，她用肩碰了一下曾菲菲："你可恶的老公找你来了。"

陈义刚也看到了她们，于是跑了过来，看到钱小美，他有点尴尬："不好意思啊，我家老婆又发小脾气了，我……"

"行了，"钱小美连忙说："是我不好，我今天非拉着她要唱歌的，你心里指不定怎么怪我呢吧？”

“没有，没有，是……”

钱小美立刻再次拦住了他，“得了，我没心思听你们两个的事情，亏了我们还没走，否则，你老婆那么漂亮，不知道要被哪个坏人拐走呢。”她说着有意瞟了一眼车里，丁麦暗自笑了一下，他观察着陈义刚，觉得这个男人很平常，奇怪曾菲菲怎么就被他搞定了呢？他没打算下车，自认为没必要掺和到这个家常的场景里面。

陈义刚当着钱小美的面拉住曾菲菲的手，挤出了尴尬的笑容：“老婆，回家吧，好不好？有话好好说。”

曾菲菲低头不语。

钱小美连忙对陈义刚说：“那我把她交给你了，别欺负她了啊……”再小声对曾菲菲说：“回去吧，这么晚了……”

曾菲菲不好再拖着钱小美，没有作声。钱小美拍了拍她的肩就上车了，似乎是一种镇静的逃离。看着车子远去，曾菲菲忽然有了一种距离感，想起了几个月前她们相约每年拍一组大头贴合影的事，只得叹了口气。

回到家里，陈义刚并没有为刚才的粗鲁向曾菲菲道歉，他确实希望曾菲菲能多在家里呆着，又觉得有必要缓和一下气氛，他想了想只跟她说，他已经报了去法国、意大利的旅行团，大年初二出发。曾菲菲没有回应，她觉得一码归一码，这个时候讲这个毫无意义，陈义刚有点郁闷，以为得到这个消息，她一高兴就不生刚才的气了。最终两个人背对背，各自进入梦乡。

钱小美昏沉沉地睡了一夜，醒来的时候已经十点多了，她摸了摸身边，丁麦不在了，估计已经去公司了。她最崇拜他的就是，无论玩到多晚多累，他都能准时起床，收拾好自己去上班。丁麦说能控制自己才能控制别人，自律是一个职业经理人起码的素质。这方面钱小美和曾菲菲这种散漫的媒体人是完全不能企及的。

她的头因为酒精侵袭的关系还有点痛。她从冰箱里拿了个汉堡和一盒牛奶，放在微波炉里热着，习惯成自然地去打开电脑，上网，上MSN。

竟然看到很少上网的裴彤，他跟她打了个招呼："美女！最近过得怎么样？"

钱小美笑了笑，回："还好吧！"

"在北京的时候，怎么突然不爱理我了？"

"没什么，那段时间忙。"

她去厨房拿了汉堡包和牛奶过来吃着，不知道为什么，忽然打了一行字出来："我的男友喜欢上我的闺蜜了，怎么办？"她下意识地认为裴彤能猜出闺蜜是曾菲菲。

"呵呵，我觉得你是个聪明女人，这些世俗的问题怎么可以烦扰到你呢？"

"别给我戴高帽子吧……"

"你读过那么多文学、哲学作品，有那么强的思考能力，男欢女爱之事还能烦扰你吗？男人心也是肉长的，他们喜欢漂亮的肉体，也会折服于一个女人思维的魅力。你就做好自己，会有好收成的。"

钱小美对着屏幕叹了口气，沉默了。

MSN安静了一会儿，裴彤忽然说："分享一下仓央嘉措的诗吧，太美了。

第一最好不相见，如此便可不相恋。

第二最好不相知，如此便可不相思。

第三最好不相伴，如此便可不相欠。

第四最好不相惜，如此便可不相忆。

第五最好不相爱，如此便可不相弃。

第六最好不相对，如此便可不相会。

第七最好不相误，如此便可不相负。

第八最好不相许，如此便可不相续。

第九最好不相依，如此便可不相偎。

第十最好不相遇，如此便可不相聚。

但曾相见便相知，相见何如不见时。

安得与君相决绝，免教生死作相思。”

这是钱小美大学时期最喜欢的爱情诗，还曾经写在送给男友的笔记本里，她默默地看着这一行行的字，恍如隔世，泪水竟然湿了眼眶，她说：“《十诫》，很小的时候就被感动过，竟然都快忘了……”跟着，她用键盘敲出仓央嘉措的另一首诗：

“那一刻，我升起风马，不为乞福，只为守候你的到来；

那一天，闭目在经殿香雾中，蓦然听见，你颂经中的真言；

那一日，垒起玛尼堆，不为修德，只为投下心湖的石子；

那一夜，我听了一宿梵唱，不为参悟，只为寻你的一丝气息；

那一月，我摇动所有的经筒，不为超度，只为触摸你的指尖；

那一年，磕长头匍匐在山路，不为觐见，只为贴着你的温暖；

那一世，转山转水转佛塔啊，不为修来生，只为途中与你相见；

那一瞬，我飞升成仙，不为长生，只为佑你平安喜乐。”

“很美……是吧？”裴彤说。

“嗯，很美好！”

“如果生活不够美好，我们就从文字里找，而且我们该用审美的态度来看待人生，包括不愉快的事，对不对？”

钱小美的眼睛越来越模糊，嘴里叼着一块汉堡抽泣起来。

“世界上真有这么美好的感情吗？”她问。

“有，某一时刻是，但是不会有永恒的美好……”

“我本以为我们之间也许可以有美好的事情发生……”

“我们之间的交流很愉快呀，女人大多没什么逻辑思维，你则不同……可你忽然不理我了……”

“嗯，你是有名的作家，网上碰碰头就很好了……”

“随你吧，反正我很珍惜你这个朋友。另外，告诉你个秘密。我结过婚，没几年我老婆就得了绝症，死了。我是个倒霉的人，我妈妈在我5岁那年出了车祸，我基本记不得她的模样了。我这种人最适合浪迹天涯，不给任何人带来灾难。”

看着他的一串文字，钱小美一时不知道说什么好。

“好了，我要出门了。我被关在酒店写个长篇，借机去透透风……”

钱小美看着裴彤显示为脱机，轻轻说了一句：“人生无常啊……”

我们还会见面的

曾菲菲开始还挣扎，
但没多久就被他的吻融化了，
他很认真地吻她，
让她有了久违的感觉。
和陈义刚结婚的半年里，
他们似乎没有一次像样的接吻。

春节快到了，正是一年中最冷的日子。嘉里中心宴会厅里却热闹非凡，《特色》杂志的年会正在这里举办。忙碌了一年的美女编辑们在此争奇斗艳，几乎个个着露背晚装，不时传来一嗓子某某女生递给男性上司的莺声燕语。

苗豆豆拿着一杯鸡尾酒，碰碰身边的曾菲菲，说：“我看今天有几位要疯啊。”

“疯什么呀？”

"看总编周围那几个女子呀，要闻部的苏菲抹胸都快掉下来了，还有那个林丹，天呀，屁股都快把领导从椅子上挤下去了。"

曾菲菲撇嘴一笑："你要过去的话，估计总编大人正好在你怀里避难，是人都看得出来他喜欢你。"

"去你的，就这点薪水，光卖艺我还嫌亏呢？再卖身，赔大发了吧！"

正在美女们轮番向总编疯狂劝酒的时刻，宴会厅的灯光一下子暗了下来，取而代之的是舞台上闪烁的灯光，动感的音乐。完全没有冷场，几个正在实习期的年轻姑娘一听到音乐，就迫不及待地上台展示起自己的舞姿，曾菲菲一阵阵羡慕，自己那么年轻的时候，好像完全不知道珍惜青春时光，每天傻傻地工作到筋疲力尽，周而复始地迎接着第二天的太阳，岁月就此蹉跎了。而眼前这些85后的姑娘们，显然活得更加多姿多彩。

她正想着，忽然有个熟悉的男声在她耳边说："陪我跳个舞吧。"语调温和而不容置疑。她回过头一看，很意外，竟然是丁麦。

"可我手里还有酒杯……"曾菲菲简直不知道自己要说什么，更无法解释自己看到这个男人，心脏为什么跳得快了起来。

丁麦夺过她手里的酒杯送到她嘴边："喝掉它。"她竟然乖乖地照办了。

等被丁麦拉上舞池，她才回过神来问："你怎么会在这儿？"

"我代表你们杂志社的大客户呀，联美广告公司，你们社百分之四十的广告是我们投放的。"

曾菲菲先哦了一声，慢悠悠地说："怎么不早说……"

丁麦带动着她在音乐中起舞："我说过，咱们有的是机会见呀！"

曾菲菲在他的推动下转了个圈："没想到你还会跳 SALSA……"

丁麦在她耳边说："你没想到的多了……"

他们随着音乐旋转，开始曾菲菲还有点放不开，这毕竟是需要男女展现激情的舞蹈，但天生对文艺敏感的她，跳着跳着便有了感觉，并逐渐释放了出来。

这次意外的相遇让她捡起了两年前学过的舞技。起初她采访了一个拉丁舞教练，之后便跟着那教练学了一段时间，她一度很希望自己能有一个好的舞伴儿，但是赵克凡是不会跳的，陈义刚想来也应该不会吧，曾菲菲都忘记自己会跳舞了。

在被丁麦支配着旋转的时候，她觉得自己冷却了的心再度热了起来，但是马上就想到钱小美和自己正在山东出差的丈夫陈义刚，立即将热情压制住。

"你有点放不开呀，跳舞就是跳舞，想那么多干吗？"丁麦的话，让曾菲菲一惊，好像被他看透了一样。

"我就这样！"曾菲菲故意抵抗着他。丁麦看着她笑，那笑容分明有点邪。

一曲结束了，曾菲菲有点冒汗，她刚下舞池，苗豆豆就过来拍了她一下说："你认识他呀？据说是圈内有名的钻石王老五呢！厉害！"

还没等曾菲菲回答，丁麦又过来拉住了她的手，说："我们再接着跳下一曲吧！"然后不容置疑地再次把她拉回舞池。

这一曲已不是拉丁舞曲，音乐更加热烈，曾菲菲被他推过去，拉过来，转着圈，直至头晕目眩，中途整个人都被拎了起来，翻了个个儿，然后又是随着丁麦的引领快速地旋转，两个人终于失去重心，摔倒在地上，将悬挂着的一组装饰性的纱幔拽了下来。曾菲菲觉得自己快晕了，被丁麦扶起来后，还是觉得天旋地转，只得靠在他身上，她一边说："你这是干吗呀？摔死我了！"同时又觉得很尽兴，好久没有这么玩了。

两个人拿了两杯威士忌在宴会厅外的走廊休息，去洗手间的人不多不少，来来往往，不时有人侧目看看他们。曾菲菲心想，亏了同事们不知道她结婚了，否则很快就会有她婚外情的绯闻传出来了。

几杯酒下肚，曾菲菲有点晕了，她眼见着几个美女同事把脸蛋红扑扑的总编架了出来，进了电梯，还有人在走廊里边笑边哭起来。丁麦说："你们时尚媒体的美女就是奔放啊，不少喝高了的呀……"

"是呀，难得轻松一下……"

丁麦"呵呵"一笑："美女，说话怎么这么假呀？你也是喝了几杯的，还没高呀？"

曾菲菲故作淡定地说："当然没事了，这算什么？"

"真的？"

"真的。"

"那你敢和我回家，还保证不出事吗？"

"我闲的呀，和你回家？"曾菲菲一撇嘴。

"你刚才不是说你今晚不住这酒店，老公又出差了吗？"

"那又怎样？"

"不怎样，一人回家有什么劲吗？不如去我家坐坐，你又没喝醉，出不了任何事，敢吗？"

曾菲菲一笑："和你有什么可聊的？要不叫上钱小美？"

“不叫，她今天在台里加班呢，估计要一夜。”

一个小时后，有点淘气心理的曾菲菲真的跟着丁麦到了他的公寓。公寓地处东直门，离她单身时住的社区很近，透过窗户能看到曾经熟悉的霓虹闪烁，有一种说不出的感觉，类似于温暖、感动，还有怀念。

“单身真好……有大把自由的时间。”她站在窗前呼吸着凉凉的空气。、

“真的好吗？”丁麦站在她身后，轻轻地抱住了她。曾菲菲虽然有点微醺，但依然警觉，赶紧推开他的手。

丁麦无奈地笑了一下，便去了书房，没过多久，手里拿了几张素描纸出来，递给曾菲菲。

“什么呀？”曾菲菲边说边拿过来看，竟然是自己的画像。

“你还会画画？居然还能不对着人画出来。”曾菲菲有点惊讶，这一切又让她想起美术了得的赵克凡。

“我记你记得很清楚，不知道为什么？”丁麦站在她身边说，手又过来搂她。

“你舞跳得很好呀，真没想到。”曾菲菲再次躲开他，没话找着话。没想到丁麦干脆一个箭步上前，并抓住了她的双手。

“你干吗呀？”曾菲菲的提问，在丁麦这里自动翻译为调情，让他呼吸急促起来，他一把将曾菲菲的手按在身后的墙上，没有说话，便吻上她的嘴。

曾菲菲开始还挣扎，但没多久就被他的吻融化了，他很认真地一下一下吻她的舌头，让她有了久违的感觉。和陈义刚结婚的半年里，他们似乎没有一次像样的接吻。但她又想起钱小美，赶紧再次推开了

丁麦。

“你这是干什么？”丁麦疑惑地问。

“我们怎么可以这样？”

“怎么样了？我喜欢你。”

“你是钱小美的男友，而我结婚了，你想什么呢？”

“那又怎样，我的荷兰同学换过妻，这种事在那边没什么大不了的，我们互相喜欢，不影响对方的家庭就好。”

“不行！”曾菲菲很坚决。

丁麦的脸色阴沉下来，沉默了，曾菲菲看着他的样子竟然有点怕，她想自己还是赶紧撤比较好，丁麦却忽然狂躁起来，他一把上前捉住曾菲菲的两个肩膀：“你确定不接受吗？像我这样的男人，可遇不可求，你应该感到很幸福！”

曾菲菲的头有点晕，无辜地看着他，不知道说什么好。

丁麦神经质一般地再把曾菲菲拉到大门口，打开门，把她推了出去，说：“好，如果真的不想要我就回家吧，美女！”之后，大门砰然关上了。

曾菲菲不知所措，刚才的吻还停留在大脑里。她咬着自己的手指，呆呆地站在冰冷的楼道里，觉得孤立无援，看看自己脚上穿的是拖鞋，进退两难，难道这男人疯了吗？

正在她茫然的时候，门又开了，丁麦一把将她拉了过去，由于动作太快，她差点摔倒，等站定了，才发觉房间内此时播放着探戈舞曲《只差一步》，这是她很喜欢的曲子，屋子里的灯光也较之前变得昏暗。

“把鞋脱掉……”丁麦语气又温和了下来，但不容置疑。丁麦右手搂住她的腰，左手握住她的右手，他们随着音乐起舞。中途在丁麦的引导下，曾菲菲下了一个腰，幅度很大。再被拉起来的时候，曾菲菲的头发飞舞起来，有一缕贴在了脸上，丁麦看到她这个样子又起了生理反应，又将曾菲菲搂在怀里吻。曾菲菲还没来的及推他，房间里就响起了手机铃声。

“谁呀？”丁麦低声说着，只得放开了她。曾菲菲一下子清醒了，连忙去找自己的包，并迅速地换上自己的鞋。

丁麦抓起电话的同时看到曾菲菲的行动，还没来得及去追她，手机那头传来了钱小美的声音：“亲爱的，你干吗呢？”

“我能干吗呀……都这个点儿了，睡了。”

“你睡觉还听音乐呀？”

“哦，临睡前放的，都忘记关了。”

“想我吗？”

“想……”

“你去参加《特色》杂志年会了吗？”

“哦，去了。”

“看到我姐们儿曾菲菲了吗？”

“看到了……她还问起你呢？”

“你没勾搭勾搭她？”

“说什么呢？你不是不同意吗？”

“对，谁都行，就不能是她。”

“呵呵，别人行，她怎么不行？”

“她是我的朋友，你这样会拆散我们。”

“好，好，知道了……困了，亲爱的……”

丁麦挂掉手机，曾菲菲已经不见踪影，但他听到楼道里响起了手机铃声。他下意识地出了门向电梯走去，很快便看到曾菲菲纤细的背影，她正在接电话：“我在回家的路上呢！我老公出差了呀，多在年会上玩儿了一会儿……嗯，看到他了，没让他送。离家又不太远……嗯嗯，改天找你们玩儿……好……再见。”

曾菲菲收线之后，长长地出了一口气。“钱小美？”丁麦一出声吓了曾菲菲一跳，她慌忙一回头，同时叫了一声：“你怎么在后面？吓死我了！”

“钱小美刚给我打过电话，她可能怀疑我们了。”丁麦说。

“我今天喝得有点多，不好意思，我得走了……”

“你就这么怕我？”

“对，我怕，惹不起你……”

“可打第一次见面，我就觉得咱们有缘分。”

“别瞎说了……”电梯门开了，曾菲菲赶紧走了进去。

丁麦看着她，用手挡住了即将合上的电梯门：“你真的决定走？你家里那么冷清，不怕吗？”

“别管我行吗？”曾菲菲生怕自己喝了酒，禁不住他的诱惑。

“你记得吗？我和你说过，认识你是我的荣幸，认识我可能是你的不幸……你今晚留不留下并不可怕，可怕的是你今后对我无尽的思念……”

听了这话，曾菲菲不寒而栗，她不再说话。

“你走吧，我们还会见面的……”丁麦收回了挡在电梯门边上的胳膊，门缓缓地合上，他的面孔终于消失在曾菲菲的面前。

曾菲菲到了楼下，头也不回地跑到小区门口，刚巧有辆出租车停下，还没等上面的乘客下来，她就抢先上了后座。她的心狂跳着，摸了摸自己的脸，烫烫的，为什么会这样？因为自己的生活太平淡了吗？因为自己隔三差五便与自己的丈夫闹别扭吗？这种日子太让人不满意了，才让她对别的男人有了感觉？她使劲摇了摇头，想不能再见这个人了，他是钱小美的男友，钱小美是她最好的朋友。

终于捱到家了，打开房门，再开了灯。曾菲菲先是叹了口气，眼皮抬起来的时候，目光无意中落在沙发上，一个人正从沙发上起身，吓了她一跳。

她大声尖叫着，声音未落，她已看清楚，是婆婆。这让她更加烦躁了，“您怎么在呢？吓死我了。”

婆婆睡眼惺忪地站了起来：“义刚说你胆子小，怕你一个人在家害怕，就让我过来了。”她边说边往厨房走去，微波炉的声音想起来，没多会儿老太太拿了一杯豆浆出来，笑着对媳妇儿说：“我那天看到报纸上说豆浆比牛奶还好，就买了个豆浆机带过来，又买了几包黄豆，打了给你喝……”曾菲菲挤出一丝微笑，说：“谢谢妈……”却在心里暗想，亏了今天没出什么状况，没有夜不归宿。

曾菲菲喝掉了豆浆，没有和陈妈妈说太多的话，就洗洗睡了。

第二天是周六，曾菲菲睡到自然醒，一睁眼竟然又想到了自己昨晚与丁麦跳舞和接吻的场景，她闭上眼睛，使劲摇了摇头便冲进卫生间。洗漱完毕，到了客厅，发现餐桌上放着热腾腾的小笼包和新打的豆浆，再看看在厨房里忙碌的陈妈妈，竟然有点感动。

陈妈妈听到动静一回身，热情地招呼曾菲菲吃早餐，曾菲菲温和地说："妈，您也一起吃吧。"

婆媳两个人落了座，曾菲菲又问："爸爸怎么没来呢？他身体好些吗？"

"他呀……身体没事了，他最近每天早上在街心公园里练太极，所以我就一个人过来了。义刚打了几个电话给我，说你胆子小，让我务必过来陪你。我想也好，妈妈也有些话想和你说说。"

曾菲菲抬头看着她，等她继续说下去。

"我和义刚爸爸过完春节就回老家了。"

曾菲菲点了点头："我听义刚说了，既然你们的孩子都在北京，回去干吗呢？"

陈妈妈笑了笑："早就想回去看看了，自打他们两兄弟在北京安定下来，我们就过来了，十年了，还没回去过。走之前，妈妈想和你说说我这两个儿子。"

曾菲菲自打结婚以来，终日忙忙碌碌的，一直没有和婆婆交流过，今天没什么事，她倒是挺想听婆婆说说话。

"义冰和义刚两个孩子从小都爱学习，在我们那里是信奉'万般皆下品，唯有读书高'的。他们两个小时候没有什么娱乐，就是读书，不知不觉就这么长大了。说实话，妈妈心里更疼爱义刚一些，他小时候长得特别可爱，但是身体不好，爱生病，所以比较娇惯他，家务没让他做过一点。不知道是不是因为这个，他的思想也比较单纯，和他哥哥完全不一样。"

曾菲菲一边听，一边喝了口豆浆，显然她是不需要插话的。

“义冰一直很独立，学习和工作我们都很少操心，唯一担心的就是他的心老定不下来，到现在都没个固定的女朋友。我听说他最近又交往了个空姐，也不知道靠不靠谱。”

陈妈妈叹了口气，接着说：“他的事我也懒得再管，结婚生子根本遥遥无期。我现在只希望义刚和你能过得好，也算让我们老两口少一点心事。义刚这孩子本性善良厚道，也是对感情认真的人，我自己的儿子我了解。当年他本来是可以上清华的研究生的，但是因为他和哥哥只差一岁，我们供养两个大学生，欠了不少债，他为了减轻家里负担，愣是没有上，直接参加工作了，他的导师为他可惜，后来毕业分配，学校给他安排了一个好单位。这孩子有一股爱拼的劲儿，但是对职场的政治是一窍不通，没几年他就觉得没意思，辞职了。后来去一个公司做了几年，就自己干了。其实像他这样没有背景的年轻人，创业是很不容易的，有时候看着他顶着压力，还要买房买车，我们心里的滋味怪怪的。我们这次回老家可能要离开比较长的时间，妈是想拜托你，希望你能对他包容一些。”

曾菲菲知道婆婆进入主题了，立刻坐直了身体，做认真倾听状。

婆婆继续说：“我的儿子我知道，他长那么大基本不会谈恋爱，人情世故也懂得少，他几年前交过一个女朋友，我们家乡的，差点放弃事业跟着那女孩去深圳，但没多久还是一拍两散了。这一次他受的打击挺大，虽然他没怎么说，我也看得出来。他一直不太会哄女孩子高兴，但是他还是个心地善良的好孩子，他其实特别喜欢你，但是也惹你生过几次气，这些他和我说过。我们老两口这一段时间可能打扰你们多了一些，让你们少了私自相处的时间。其实，我们也是想在生活上多照顾你们一些，你们工作都忙，没有父母在身边，饥一顿饱一顿的，我真是放心不下……”陈妈妈说着说着，声音竟有点颤抖了。

曾菲菲温和地看着婆婆，觉得自己这一段时间可能对她太冷落了，有点不忍。她把手放在婆婆的手上抚摸了一下，说：“妈妈……我很感谢您经常来给我们做饭吃，收拾屋子什么的，怎么会觉得您打扰我们呢？这些事我都做不太好，我以后会好好学。对义刚嘛，我以后会多跟他沟通，多了解他一些，他的脾气性格确实和我想象的不一样，但我也知道他人不坏。”

“你这么说，妈妈就放心了，我从第一眼看见你就觉得你是个好孩子，又是知识分子家庭出来的，肯定识大体。不瞒你说，我和你爸爸这一辈子也是磕磕碰碰过来的，我刚结婚那几年，不知道流了多少眼泪。这老头儿很大男子主义的，而且固执得很。妈妈是过来人，知道婚姻不会是十全十美的，好多事都需要慢慢消化的，两个人肯定要磨合。我是想说，百年修得同船渡，千年修得共枕眠。你们既然选择了结婚，就一定要努力把日子好好过下去啊！我和义刚说了，决不允许他欺负你，如果他以后让你受委屈了，你告诉妈，妈一定好好教训他。”陈妈妈说着，竟从衣服兜里拿出了一个卡片，上面有二串用钢笔写的数字。“上面这个是我们在老家的电话，下面是我的手机号码，有事就找妈妈说，好吧！”

曾菲菲是性情中人，她看到婆婆一脸诚恳，并没有半点虚情假意，心里觉得这老太太挺不易的。

她接过那个卡片，点点头：“嗯，我知道了妈。”

陈妈妈带着泪花笑了：“瞧我一直说话，干扰得你都不能吃东西了，包子挺好的，快趁热吃吧……”

[第三部　挽婚 FAKE SINGLES]

曾菲菲抬起头，满面泪花，楚楚动人。陈义刚低下头去，一下一下地吻着她的脸，又去吻她的唇，两个人的舌头很快纠缠在一起，巧克力与香草的混合，完全是一道动人的美味……

罗马假日

曾菲菲扔了一枚硬币，
许下重回罗马的愿望。
之后，再扔了一枚硬币，
在心中默念，
我需要安定，希望我的婚姻幸福美满。

陈义刚回来没几天，春节就到了。一大家人一起吃了年夜饭，陈义冰把毛那那也带来了。曾菲菲因为她追求过陈义刚，并且接替了自己的闺蜜钱小美的位置，一直不喜欢她。

席间曾菲菲装作很随意地说："那那，今年春节不回家看看父母吗？"

"我准备初三回去，在那里多呆几天，连年假一起休了。"

"哦……"曾菲菲轻声应着，心里还是不以为然，又没结婚呢，除夕干吗不在自己家过呀？她并不知道毛那那父母离了婚，心里羡慕陈义冰这个大家庭。

毛那那也本能地不喜欢曾菲菲，觉得如果与陈义冰结了婚，和这个女人相处真是件不太愉快的事。自己追求过她的老公，且失败了，仅从这一点上，她就矮了半截。

陈义刚倒是没琢磨过这两个女人之间的不和谐，节前几单生意的款没有结回来，让他的心情愉快不起来。他整晚闷闷不乐，曾菲菲敏感的心也跟着不舒服了，丈夫出差好几天了，回家后怎么对自己连一个笑脸都没有。本来让她很期待的法国、意大利之旅，也失去了应有的心情。

陈义冰的精神头就不同了，拿了超额的年终奖，他心情自然轻松，又交到毛那那这样一个空姐小女友，更是件令人愉快的事。没想到这小姑娘年纪不大，却有着很强的自理能力，会做一手好菜。除夕宴上，还带了四喜丸子献给大家，让他感觉很有面子。父母看起来也挺喜欢毛那那，席间不停地给毛那那夹菜、倒饮料、拿纸巾。看得曾菲菲心里酸溜溜的，难免有点羡慕嫉妒恨。

因为第二天陈义刚和曾菲菲就要去法国补蜜月了，所以大家没有在一起守岁，一过午夜 12 点就散了。陈义冰带着毛那那回自己家了，不一会儿，陈义刚和曾菲菲也向陈父陈母告辞了。

自打上次因为 KTV 晚回家被陈义刚骂了之后，这对夫妻的关系一直有点僵，陈义刚一直没有解决家庭矛盾的心情与想法，曾菲菲也不是自己能消化矛盾的隐忍的妻子。问题还没有解决，陈义刚就出差了。回来的时候，他早就把曾经的不愉快给忘了，这又给曾菲菲造成了新的不愉快。

曾菲菲的脑子里时不时地会出现年会那天丁麦吻她的场景，他那么热烈，一个劲地要来燃烧她被现实的婚姻冷冻了的心，她甚至想，如果她和丁麦都是单身，两个人会不会相爱呢？

而陈义刚满脑子都是公司的生意，他最不喜欢以回扣的形式去搞定客户，更喜欢用自己的真诚和公司良好的信誉去打动对方，但最近有两个案子恐怕不得不走点下三烂的法子了，没办法，生意难做呀……

窗外传来热烈的爆竹声与汽车报警器的鸣叫声，曾菲菲与陈义刚躺在双人床上想着各自的心事，互不干扰，渐渐地进入了梦乡。

半夜，陈义刚似乎是做了梦一般，忽然在床的另一端探寻着，直到摸到了曾菲菲的身体，使劲把她搂在了怀里。曾菲菲被他弄醒了，试图推又推不开，陈义刚的脸在她的后背蹭了几下，梦呓般地说："老婆，我爱你……"

"真的吗？"曾菲菲睡眼惺忪地转过身，在黑暗里看不清丈夫的脸。

"当然了，不爱你我爱谁呢？"

"你在说梦话吗？"

"当然不是，这几天对你不好，别生我的气好吗？"

这几乎是陈义刚婚后说的最软的话了，曾菲菲都没有想到他话音刚落，自己的眼泪也跟着落了下来。

她本来已经怀疑嫁给了一个完全不喜欢自己的人。除了最初那次夜爬香山外，她几乎没有再感受过他的温柔。

"哭什么呢？老婆。"陈义刚抱得更紧了，并用一只手去抚摸她的脸颊。

"我觉得我们太不同了，不是我想象中的生活。"

陈义刚叹了一口气："可能最近事情太多了，没有太在意你的感受，明天我们就要去度假了，开心点好吧，我们好好玩，把过去的不愉快都忘掉吧。”

曾菲菲有着北京女孩的通病，就是心软，尽管恋爱过N次了，还是没有学会和男人真正地去计较，她心里的别扭已经超过半个月，却被陈义刚的一句话轻松化解了。

曾菲菲再次进入梦乡之前想到了几个人，赵克凡、钱小美和丁麦。不知道他们在以什么方式过年。

赵克凡自打到了上海就无限忙碌起来，中方的老板苏菲是个四十岁左右的美籍华裔女人，很赏识他的才华，因此每个新店铺的装修以及每次秀的细节都需要他定夺。赵克凡也觉得找到了自己喜欢的工作，不遗余力地燃烧着自己几乎是全部的热情。

工作一直忙到除夕前一天，他没有回老家。他并没什么亲人在上海，除夕，他倒是想起了曾菲菲，但是没敢联络她，只给她发了过节短信，怕给她带来麻烦。女老板是单身，请了几个同样是单身且滞留在上海的同事去她家吃饭。一过十二点，大家都起身告辞了，而她却将赵克凡留下了，说有工作上的事商量。

凭赵克凡的智力，他已猜得八九不离十，这女人寂寞了。好吧，无妨。反正他也觉得寂寞了。她的肉体还是不错的，可能是长期食用燕窝的原因，皮肤还是光滑的，而且比她这个年龄应该有的要紧致。她在他的身下目光迷离，完全没有了白天的锐利。他已经忘记了大家本来的角色，像对曾菲菲那样将她的头发使劲向后一拉，她轻轻叫了一声，不得不亮出了下巴。

赵克凡想到：在昏暗的光线下，女人和女人能有多大区别呢？管她是谁，这个除夕夜总是要过的，在团圆的日子里，两个人一定好过一个人不是吗？

钱小美在阔别家乡两年后回来了，父母亲的白头发似乎更多了些，让她看着颇为心酸，同时又痛恨自己没有能力把他们接到北京同住。因为最近经常想起初恋男友唐西，他们是同一个大院长起来的青梅竹马，所以她向父母问起了唐西的近况。妈妈说，他两年前去法国留学了，钱小美自言自语地说："真是天涯海角了……"

午夜十二点，她接到了丁麦的电话："干吗呢？宝贝。"

"和爸爸妈妈守在一起呢，感觉真好。"

"比和我守在一起还好吗？"

"当然了。"

"那还回来吗？"

"不想回了……"

"当真？"

"当真……"

"那我找你去，想你了。"

"算了，别忽悠我了。"

"干吗忽悠你呀。不信我这就动身了啊！"

"行，你说话算话啊。"

"当然了！看到我的心了吗？它已经通过电话线到达你身边了。"

钱小美一笑，说："别贫了，我这个不漂亮的女人，你能想到什么地步？”

“你呀……我早就说过，你人生观有问题。你是不是还在纠结我可能会和别的女人发生肉体关系这个问题？我是开诚布公地和你沟通我真实的想法，这不妨碍我爱你，想你，把你作为我灵魂上的伴侣，你让我有安全感，因为此前我觉得你也非常坦然与真实，我觉得咱俩之间完全不需要藏着什么，这才是一对夫妻应该有的状态……”

钱小美叹了口气：“亲爱的，你就别试图说服我了，也许我会是个有承受力的妻子，但那是成为妻子后的事。我们才交往几个月而已，我要不要和你结婚，我都不知道。你本来就是自由的，但你对一个刚刚交往的女人说你很需要自由，是不是有点太奇怪了？”

“好了，亲爱的，我们不讨论这个了。我一个人在北京，感觉很寂寞，你要在身边就好了。”

“你明明知道我回父母家，你又不愿意陪我来……”

“呵呵，这倒是，我还没有做好见你父母的准备，别生气啊……”

“生气？我早就不会生男人的气了……”

曾菲菲的脚一踏上巴黎，就身心开朗起来了，这是她从小就向往的城市。父亲二十多年前曾在这里工作了几个月，那时他就说，巴黎是个可爱的城市。

虽说现在还是冬天，但巴黎的天气却并不寒冷，午后甚至可以脱掉外套，享受温暖的阳光。陈义刚同学表现得很乖，在凡尔赛宫里的时候，他一直背着照相机，伺机给曾菲菲拍照。

同行的一个女人见状拍了拍曾菲菲说：“你老公对你够好的呀！

鞍前马后的……”

曾菲菲笑了笑。女人接着说：“看得出他是个老实疙瘩，呵呵。”

曾菲菲心里觉得她这句话算不得好话，便没有接茬。

曾菲菲的注意力都在导游的解说上，前两年看了电影《绝世艳后》，很受触动，随后查看了一些玛丽·安托内特的史料，觉得这个奥地利小公主的一生真是一场悲剧。如今在宫殿里看着她那些美丽的肖像画，站在她睡过的床前，似乎香魂犹在，却早已物是人非。

一个美丽骄傲的小公主嫁给了一个性格温和的小王子，本来是个美丽童话的开篇，谁能料到会遭遇到大革命，因为想要回娘家奥地利搬救兵来救自己的丈夫和儿子，被定为叛国罪上了断头台呢？还有她那个可怜的八岁男孩，没几天就被折磨得死在肮脏的监狱里……想到这里曾菲菲叹了口气。

“怎么了？”陈义刚在一边问她。

曾菲菲小声说：“这个皇后很可怜……”

陈义刚看着曾菲菲那个难过的样子，心里想这做文字工作的女人真是多愁善感，居然为了这个死了数百年的外国女人而动情。

直到上了大巴，曾菲菲的心情还是沉重的。刚才说陈义刚老实的女人正好坐在他们的前排座位上。她看起来是一个人报的团，并没有其他的伙伴，一路上不时地回过头来与曾菲菲说话。陈义刚见状干脆和她换了位子，让她们更方便地聊天。身后不停地传来这个女人的笑声，不时还伴随着曾菲菲的说笑声。陈义刚心想，钱钟书先生说的话没错，真是鸭子多的地方粪多，有年轻女人的地方笑多。

车子快速平稳地行驶着，不久游客们一个个地睡着了，陈义刚也睡了过去。身后的女子依然很精神。聊天的过程中，曾菲菲得知她叫费曼，丈夫是个地产商，有一儿一女。

这倒是出乎曾菲菲的意料，她本来以为这个看起来比自己大不了多少的女人是单身呢，没想到她早早结了婚，第一个孩子都八岁了。

曾菲菲一时不知道该说什么，问了个傻问题："你老公怎么没和你一起来呢？"

"我们很少在一起的，他已经一个多月没回家了，呵呵。"

"你一个人带两个孩子？"曾菲菲觉得这种家庭状态不可思议。

"我妈妈和我住在一起，还有两个阿姨，我几乎不太管。"

"哦……"

费曼特意探头看了看陈义刚，确认他睡了，便侧脸小声对曾菲菲说："你这老公很乖吧，一看就是老实孩子。"

"他啊，没你想得那么老实，有时挺有个性的。"曾菲菲尽量回答得不咸不淡。

费曼翘了一下嘴角："我实话实说你别生气啊……你这老公一看就是不太会哄女人的那种，不过这也好，这样他就不会去勾引别的女人了。你们是不是刚结婚不久？"

"是呀，你怎么看出来的？"

"嘿嘿，你们俩就不像一路人，可能是认识时间不长就结了吧？"曾菲菲笑着看她，没想到这女人看起来俗俗的，竟然还有点小智慧。

傍晚，大家在导游的带领下，在塞纳河的游轮上观光，水面上的微风温和地吹动着人们的发丝，岸边有情人拥吻在一起，曾菲菲觉得太美好了。回头指给陈义刚看。"老公，你看那对情侣……这边还有一对……你看，那只船的船头竟然还有个孙悟空……那边那个方位就是左岸吧？”

陈义刚温和地亲了一下曾菲菲的脸，并从身后轻轻抱住她：“什么左岸呀？”

曾菲菲转过身来对他说：“就是你面对下游，左手的那一边就是左岸，那边有很多咖啡馆，画廊什么的，是个浪漫的地方。据说在咖啡馆里如果有人请你喝咖啡，就是约会的邀请，如果女孩子同意了，就可以一起回家。”

“啊，这么淫荡呀！”陈义刚的声音有点高。

曾菲菲赶紧抓住他的手：“小点声，这种事在这里就是浪漫，你别大惊小怪的。”陈义刚“哦”了一声，心里还是不以为然。

曾菲菲再次转身，看着岸边，路过巴黎圣母院时，她又想到了同名小说中的敲钟人和艾丝美拉达。太阳渐渐西下了，阳光给万物镶上了可爱的金边，包括那些古老的建筑，窄窄的街道，还有时尚而优雅的女人们，一切都那么让人心醉。

“老公……”曾菲菲轻轻地唤着陈义刚。

“怎么了，老婆？”陈义刚把脸凑过来，他们彼此有了一种亲人的感觉。

“谢谢你，老公，我真喜欢这里……”

陈义刚心里忽然有点难过，他觉得有点对不起曾菲菲，由于婚结的仓促，他既没有给漂亮的妻子举办一个像样的婚礼，也没送她一枚钻戒。半年来，一直忙碌着，甚至连她的喜怒哀乐都没有太关注，实在太不应该了，甚至这次出游他还后悔过。“菲菲，你高兴就好。”陈义刚边说边用下巴轻轻抵在她的后脑勺上，蹭了蹭。

对于旅游，陈义刚缺乏经验，在选择旅行社的时候，他没有选择在欧洲游方面最牛的旅行社欧帝，而是选择了另一家价格稍微便宜些的旅行社。倒不是为了省这点钱，主要是欧帝旅行社的工作人员太牛逼，多问几句就不耐烦了，这让陈义刚非常不爽。

他以为都是法意深度游，行程不会有多大区别，到了机场才知道，欧帝是二十人成团，而自己去的这个是五十人的拼团。这五十个游客浩浩荡荡地杀到巴黎，才发现随他们过来的那个矮个子眼镜男，既是地陪又是随团导游。不过这个小个子导游倒是蛮有才华，把这五十个形态各异的团员们管理得井井有条，还不时淡定地充当一把收费的财务人员，但收费标准令人费解。凡尔赛宫作为自费项目，他向每个人收了五十欧元，而人们参观完皇宫出来，才发现参观券上的面额竟然是八欧元。

在浪漫的巴黎再一次证明了，中国人越多就越难以团结。这五十个人里，有两个公费旅游的团体，一个二十人，一个十五人，还有若干家庭，三到五口人不等。十五个人的头儿是个四十岁左右的北京男人，在大巴上经常能听见他的妙语连珠，把随身带来的那些小姑娘逗得花枝乱颤。票上印的八欧元收的五十欧元，就是他发现的。

在皇宫的后花园，他跟几拨同行的人说起了费用的事，大家纷纷表示不平，包括陈义刚。等参观完毕上了车，看到眼镜男导游，人们竟面面相觑，全然没有了刚才的愤怒，连个屁都没人放了。四十岁的男领导倒是咳嗽了两声，冲着陈义刚挤了挤眼睛，示意他来投诉一下这个事。陈义刚想站起身去跟他们理论，曾菲菲在后面按住了他的肩，于是他也就作罢了。

大家渐渐熟悉了，费曼每次上车就固定坐在曾菲菲身边了，看到陈义刚刚才的反应，她笑了一下，曾菲菲明白她肯定心里再次觉得陈义刚老实单纯。

车子开动了，没多久费曼又开始和曾菲菲聊起来。她先问曾菲菲："你们家谁说了算？"这一问把曾菲菲问住了，她使劲想了想，好像也没有什么特别需要决策的事发生呢。而且从结婚到现在，他们俩有点各过各的感觉，她有迁就陈义刚的时候，陈义刚好像也有迁就她的时候。

"这个，我们好像都商量着来吧……"曾菲菲回答。

费曼连忙压低声音说："你真是没什么经验，我告诉你，这一个家庭里，只有一把交椅，也就是说只能一个人强势，一个人弱势，绝对没有其他可能。"

"真的吗？那你们家谁是头把交椅呀？"曾菲菲想她有一个富豪老公，又不常回家住，一定是没被这女人整服帖，闹不好外面还有几头家呢！肯定他老公坐第一把交椅。

费曼"哈哈"一笑，说："我家的事是比较复杂的。以前肯定我老公称王称霸，他个性强得很，虽然我也不弱，但我绝搞不定他。现在就不同了；特别是有了孩子这么多年了，我早就把他从椅子上踢下去了，他要是把我惹急了，我就换锁，让他进不来门，再不行我真敢拿刀剁他屁股，他反正是不能把自己孩子妈送到监狱去的。所以现在他开始怕我了，也不太敢欺负我了。"

听着她的话，曾菲菲觉得她们两个女人是生活在两个不同的世界的，至于为什么不同她也说不清楚，是因为婚姻生活的长与短造成的？还是经济上的高与低造成的？也可能二者兼有。

她开始对这个女人感兴趣了，因为她的婚姻生活充满了斗争，这太有戏剧性了。她开始希望这一路上能多听听她的故事，为今后的写作积累点素材。

“你知道吗？我那个女儿特别可爱，特别会为我装可怜。有时候，我和老公吵架，我女儿就哭着过来抱住她爸爸的腿说：‘爸爸，你别跟妈妈吵架了好不好，妈妈好辛苦的。’我老公心一下就软了。所以说，等你有了孩子，一定也要会发动群众啊……”

曾菲菲瞪着大眼睛点着头听她讲这些事，觉得实在太有趣了，这个女人比她老公陈义刚有趣多了。

富太婚姻故事之旅就这样拉开了序幕，从巴黎讲到摩纳哥，再到米兰、罗马。

在去罗马的路上她继续讲着：“我挺小的时候，大概十八九岁吧，就跟一个女同学在商人圈里混了。我第一男朋友对我不太好，我们老吵架。后来我现在的老公就把我争取过来了，他第一次带我出来玩就杀到国贸去了，一上来就是 Gucci、范思哲，当时我都晕了，他说你那个男朋友不行，你跟我吧。”

说实话，曾菲菲此刻还真有点羡慕嫉妒恨，因为这姑娘姿色中等，一定也没有太多文化，但是表面看起来，比自己这种努力工作的女人获得的物质享受多得多，曾菲菲努力调整着自己的情绪，继续以淡定的姿态听下去。

“后来我那男朋友还去公司找过他，向他借了五百万说是做项目用，他觉得我这件事有点理亏，眼睛都没眨就借了。没过两年，我的前男友因诈骗罪给毙了，他的五百万也没收回来。我是后来才知道的，他说你都不知道，为了你我还损失五百万呢？就你这么块料，真是不值得，当时就是因为有人抢才觉得是好东西……哈哈！”

曾菲菲奇怪她怎么能笑出来呢？她前男友被毙，和现在老公觉得这五百万不值，哪一条都足够让人伤感呀。

她还没琢磨清楚这个问题的时候，罗马到了。导游在临下车前，对大家说：“额外带大家去个地方，很多团的导游是不去的。罗马的许愿泉，非常非常的灵，投一枚硬币进去，默念自己的心愿，一定会实现。不过在这个心愿之前必须先许下一个愿，重回罗马，这样才会灵哦。”

此刻，旅途已经过了一大半了，陈义刚心里不是很愉快，首先，曾菲菲和拜金女聊得太欢了，他很担心自己老婆被毒害。另外，这个导游也太黑了，比萨斜塔这种免费的地方，他都以停车需要费用为由，一人收了二十欧元，居然没人说句话。

一下车，陈义刚就把曾菲菲拉了过来，对她说：“你跟我度蜜月呢？还是跟那位呀？从现在开始，乖乖在我身边呆着！”

曾菲菲小声说：“难得呀，她对我什么都说。他们家挺奇特的，他老公除了给她卡刷，什么都不管。”

“你羡慕吗？”

“羡慕呀，有钱花又没人管束，多爽呀！”

“我刚发现，你还挺肤浅的……”

“你说谁肤浅呢？”

“你呀！你听她说呢！回家肯定低眉顺眼的，而且，闹不好那男的根本就没和她结婚，婚戒都没有。”

“我也没有呀，不是也结婚了吗？”

“不是还没来得及买吗？再说她又不好看，富豪能娶她？还不如你呢？比你差远了……”

“是，但人家命好呀，嫁豪门了！”

“我说你肤浅吧，你还不承认……”

“你这么说话有劲没劲呀！”

两个人本来是瞎聊的，说着说着竟有点急了。为了不发展成为别人的笑柄，两个人干脆不说话了，不知不觉到了许愿泉。导游给了十五分钟。

许愿泉边上的人很多，人们不时地先扔一枚硬币到池子里，然后双手合十放在胸前，低着头默念自己的愿望。曾菲菲还在生闷气，觉得陈义刚一路上并没给自己买什么东西，而且至今还没有婚戒，居然还好意思说她肤浅。

费曼看出她不高兴，走过来碰了碰她的肩：“怎么了？美女！还不许个愿。”

“没事，我不知道许什么。”

“你不是刚结婚吗？不憧憬未来？”

曾菲菲冷笑了一下没有作声。费曼贴着她的耳朵小声说：“你老公惹你生气了吧？我刚才从后面看你们俩好像在争执。跟你说吧，男人好的地方各不相同，要是操蛋起来，全都是一个样儿。”

“嗨，也没那么严重。”曾菲菲还是要面子的，不喜欢别人说自己老公不好。

正说着，陈义刚从许愿泉边上的冰激凌店出来了，他一只手拿了一个甜筒，笑着对曾菲菲说："老婆，你吃哪一个呀？一个是巧克力的，一个是香草的，里面有坚果。"

费曼一看他来了，便笑了一下走开了。曾菲菲还是比较好哄的，拿了巧克力的放在嘴里吃起来，只是脸上还是没有笑模样。

陈义刚先吃完了，于是拍了拍手到喷泉边许了个愿，他的样子看起来很认真。随后曾菲菲也上前去许愿了，她先扔了一枚硬币，许下重回罗马的愿望。之后，再扔了一枚硬币，在心中默念，"我很需要安定，所以希望我的婚姻幸福美满。"

在前往古竞技场的路上，陈义刚问曾菲菲许的什么愿？

曾菲菲神秘地说："不告诉你。"

陈义刚说："那我告诉你吧。我的愿望是我们……"

曾菲菲没等他说完就把食指放在了他的唇上："千万别说，说了就不灵了。"

陈义刚微笑着看着她，并紧紧地搂住了她的肩。

你真是个妖孽

对眼前这个男人，
曾菲菲怎么也讨厌不起来，
他帅、事业有成，
最要命的是，他貌似还挺有情调。

十二天的旅途过得太快了。曾菲菲和陈义刚回到北京，立刻忙碌起各自的工作来。因为假期的原因，使得这个月做稿子的时间紧张了很多，曾菲菲回京第一天，就开始联络主题图的拍摄和采访了，情感专题更是要想破脑子。

上次和婆婆谈完话，她本来已经计划要在家做晚饭了。但是成堆的工作让她不得不像热锅上的蚂蚁那样忙碌不止。正月十五一过，陈爸爸陈妈妈就回老家了。曾菲菲由于正在棚里拍片子，没能赶回去吃团圆饭，也没赶上去送送他们二老。

当日晚上十一点，她拖着疲惫的身体回到家。房子里黑着灯，让她觉得家里的气氛怪怪的。她叫了几声陈义刚，没人答应，于是把每个屋子的灯打开，直到进了卧室，才看到蜷缩在床上的陈义刚。

“你怎么了，老公？不舒服吗？”曾菲菲问他。

陈义刚慢慢摆了摆手，但是脸依然陷在两个膝盖中间没有动。曾菲菲连忙走过去，拉了拉他的胳臂，结果发现陈义刚哭了。

自打从欧洲回来，曾菲菲做了一些关于家庭与婚姻的思考，当初自己是为了结婚而结婚，现在却是从心底想做个好妻子了。

“怎么了？老公？”她温柔地问他。陈义刚仰起头，叹了口气，把身边的手机拿给曾菲菲，上面有一条陈妈妈的短信：“儿子，火车开了三个小时了，妈妈离你们越来越远，已经开始想念，实在等不及回家再和你说这些。爸妈不在身边一定要好好照顾自己，饭馆里的菜是地沟油炒的，少吃啊。菲菲平时也忙，不要指望她一个人做家务，对人家好一点，北京的姑娘自然娇贵些，别委屈她……”

曾菲菲有点内疚，刚结婚那段时间总是觉得公婆打扰了他们的生活，但实际上，如果没有婆婆的照顾，自己可能经常连饭都吃不上。

陈义刚说：“你不会笑话我吧？从小到大我就没怎么离开过我妈，她这一回老家，我心里空落落的。他们这次走是为了给我们留出单独相处的空间，我妈是个劳碌命，她只要在北京，就忍不住想来照顾我的生活……”

曾菲菲说：“如果你实在舍不得，就让他们回来吧……”

“算了，他们说的也有道理，我们两个毕竟要独立生活，彼此适应的，又不能靠他们一辈子。”

曾菲菲忽然想到，年少的时候以为婚姻是两个人的事情，你情我愿就好；结婚之后才明白，你嫁的不仅是一个人，还有这个人背后盘根错节的家庭。无论是陈义刚还是自己，都无法割舍与自己父母那边千丝万缕的关系，她又即刻想到了陈义冰、毛那那、陈义冰的前女友兼自己的闺蜜钱小美，钱小美的新男友丁麦……，这个因两个人的结合而延伸开来的人际关系网，正日益广阔起来。

第二天一早，立志从“闲妻凉母”向贤妻良母转化的曾菲菲，没有像往常那样睡到自然醒，她按照陈义刚的时间起了床。看到老公正在卫生间边蹲号边看杂志，她便先冲到厨房去为他准备早餐了。在面包片上涂了黄油，再烤两根香肠，切了几片西红柿，与面包一同放在盘子里，之后又用微波炉热了牛奶。仅用十分钟，她就准备了两份早餐，看着餐桌上红的红、黄的黄、白的白，她很有成就感。

陈义刚洗漱完毕出来的时候，也大吃了一惊：“居然有早餐吃，我没做梦吧？”曾菲菲骄傲地仰着头，样子很可爱。

陈义刚几分钟就把碟子里的食物一扫而光，又很快地把牛奶喝掉了。

“老婆真乖！”他边说边看表：“时间还早，嘿嘿。我们那什么一下吧……”说完就冲过来把笑盈盈的曾菲菲抱了起来。

“不要啦，不要啦……我还没有刷牙洗澡呢！”曾菲菲拍打着他的肩膀，两条腿蹬来蹬去的。

“没事，老婆，我不嫌你臭。”

“讨厌！你才臭呢！”

陈义刚把曾菲菲扔到床上的时候，一道明媚的阳光照在她的脸上，使得她不得不闭上眼睛，正咯咯笑着，身体却被刺穿了，还没有准备好的她，随着疼痛大叫了一声："你慢点呀！"

"好好，我慢点，我慢点……"陈义刚的语气温和得像个小老头，曾菲菲发现不止自己有了变化，这个顽固不化的老公也有些变了。

两人做完爱做的事，陈义刚高高兴兴地去上班了。曾菲菲在快乐的余韵里又睡了一觉，待到再次睁开眼已经十点了。这一次她是真的清醒了，因为她想到了自己的情感话题还没有着落，而离结稿的时间还有三天，这紧迫的任务让她后背一阵阵发凉。

正发愁，手机响了，万万没想到是费曼，她一上来就问："怎么样，忙什么呢？美女！"

"哎呀，累死了……一堆工作，脑袋都大了！"

"哦，我还想你不用坐班，今天请你喝咖啡呢！我正闷得慌。"

"亲爱的，今天可不行，等过几天我把这个月的稿子弄利索了吧，好不好？"

"唉，对你们这些有正事的人，我还能说什么呢？好吧，那你先忙吧。过几天再联络好了。"

挂了电话，曾菲菲忽然眼前一亮，她想起费曼在旅途中说的一句话，她说她老公当时因为有人抢才觉得她是个好东西。"有人抢才是好东西"，这个主题不错呀，就做这个好了。

刚登陆 MSN，就撞上了赵克凡，他问她："春节怎么过的？"

"和老公去巴黎。"

"哦，这么好呀。玩的愉快吧？"

"嗯，挺好的。"

"我过几天要去米兰时装周了，还想带个礼物给你，像前两年一样。"

“算了，我们的事都过去了，还送什么礼物？”

“我也不知道怎么了，总想起你。唉，算了后悔的话说了也没什么意思。”

曾菲菲想起她的选题，问他：“是不是因为我已经是别人的了，有人抢走了你才会觉得我是好东西？”

“这个说法挺有意思，呵呵。我也说不太清楚，总之想起你不会再搭理我了，我心里就觉得特不是滋味。”

“哦……”

“你是妖精，菲菲，你的身体太好了，你自己可能都不知道……”

“别调戏我啊！”曾菲菲此刻只想工作之余，过好自己的日子，没有其他了。

清版的日子转眼就到了，苗豆豆申请了婚假，所以剩下的人们就要多干点活。曾菲菲和苗豆豆关系比较好，代她做了个专题，所以要收拾整整十八块版。

她下午四点到了杂志社，桌子上竟有一大捧红玫瑰，而且是花头很大的那种。她刚想问谁送的，但是环视四周，只有一个实习生在，别的人还没有到。再仔细看花束，里面有一张卡片，上面写着：美丽的曾菲菲小姐，我已无可救药地成为了你的粉丝。下面的落款是“麦”。

曾菲菲的记忆又回到了春节之前，她想起了与丁麦共舞的那个晚上，还有电梯合上的刹那，丁麦的那张脸、那个表情，心跳不禁又加快了，好在实习生依然闷着头看杂志，并没有看到她的脸色有什么变化。

丁麦此时正在公司办公室外的露天平台上喝咖啡，因为楼层很高，不免有点寒冷，但是他非常喜欢没事吹吹风，这样有利于大脑的快速运转。工作的事情，他是想得最多的。但另外还有很重要的事情要想，比如女人，比如钱小美和曾菲菲。

钱小美，虽然开始让他有一种很安全很踏实的感觉，还有这女人很有点才华。说心里话，钱小美的才华，漂亮的曾菲菲是根本比不了的，但是钱小美的弱项就是不会经营自己，不会特意发挥自己的长项，不会寻求帮助，想方设法让自己发达起来。开始，丁麦觉得钱小美能时不时地带给他点惊喜，总能蹦出一些类似“人到用时方恨少”之类的俏皮话。但时间长了，又觉得不那么有趣了。他甚至觉得上天安排他认识钱小美的真正用意是由此结识曾菲菲。

要说曾菲菲有多漂亮倒也算不上，在文化圈里，那肯定算上品了，但是在文艺圈里，就没法比了。现在的小艺人们，个个会去打个肉毒、削个骨，一水儿的人间极品，漂亮得分不出你我。

丁麦有个朋友搞了个经纪公司，旗下的艺人里不乏唱过大戏的，要想娱乐，可挑的多了。但不知道为什么，他老觉得这些小艺人没味道。第一次见到曾菲菲，特别是她的两条大长腿，丁麦就有点受不了了，他觉得那腿就是为他长的。不过他不急，凭他多年在情场上打混的经验，女人没有自己拿不下来的。

他挺想知道，曾菲菲看到他送的花是什么状态，但是他忍住了去见她的欲望，对于闷骚的女人，是需要一点一点瓦解的，一旦时机成熟，便可以一举拿下。

毛那那晚上六点又要飞上海了，陈义冰忽然很想去机场送她。自打过了三十四岁生日，他忽然想安定下来了，对这个飞来飞去的小空姐也有了更多的眷恋。

第一次看到她穿制服的样子，他心里有点激动。想起了十年前也曾在机场送过他的“团支部书记”，那时她也穿着制服，书记对他微笑着摆摆手，就转过身去，用傲人且动人的姿态离开了。毛那那不一样，她走了两步，又回过身来，看到陈义冰还默默地站在那里，扔下拉杆箱就跑了过了，搂住他的脖子。

“怎么了，丫头？”陈义冰觉得自己的语气像是在对女儿说话。

没想到毛那那竟然说：“你要是我爸爸就好了……我爸爸都没有送过我。”

陈义冰听她这话，一阵心酸，紧紧地搂住了她：“那你以后就叫我爸爸。”

“我不，我已经被自己的爸爸抛弃一次了，万一将来再被你这个爸爸抛弃，那也太惨了吧……”

陈义冰一笑：“什么意思呀？这就想把一辈子托付给我了啊？被你吓着了啊……”

毛那那从他的怀中挣脱，使劲推了他一下，撅着嘴说：“讨厌，不理你了！”说完转身走了，高跟鞋发出强劲有力的“嗒嗒”声。

陈义刚在她身后喊：“到了地方告诉我啊，还有哪天回来，我接你。”

毛那那理都没理，只一个劲儿走她的路。

陈义冰无奈地摇摇头，想现在的女孩子实在是太自以为是了。其实男人最怕女人说的就是诸如“我是你的人了”，“我把自己交给你了”这种话，听了立刻觉得身上压了千斤重担，喘不过气来。男人想结婚了自然会求婚，用得着暗示吗？

转眼又两个月过去了，五月份的中午已经有点热了。

编辑部里正为一件八卦事件沸腾着，但当苗豆豆出现在办公室的时候，四周又一片寂静了。原来苗豆豆的老公是商人，经常出差，再加上年龄大，体力也不太好。荷尔蒙正处在旺盛时期的苗豆豆便有了个蓝颜知己。

这个知己也不是她随便找来的，本来是一个大学的校友，在校时候彼此就不讨厌，男生一毕业就出国了。现在他回来了，两个人在校庆的时候接上了头，聊得很不错，就有了些交往。一开始苗豆豆并没主动说出自己的婚姻状况，男生见她老有大把的自由时间还以为她是单身。待两个人干柴烈火地好上了以后，苗豆豆说了实情，那男同学便急了，非要她离婚不可。

苗豆豆当然不同意，那男生佯装接受了现实，却趁苗豆豆不备，把她电脑里一些她老公拍着玩的不雅照在杂志社的邮箱里群发了。苗豆豆的老公这几天还在意大利，暂时还没发现这件事。而这个互联网的时代，什么东西既然可以发到邮箱里，就有传播到网上的可能，苗豆豆觉得天都快塌下来了。况且，她还有几个校友也在《特色》杂志社工作，实在太糗了，不敢再想下去。

今天又是发版日，不得不来。苗豆豆坐在自己的角落里低头不语。曾菲菲凑了过去，对她说：“你真是，怎么这么大意？”

“唉……我对男人的小心眼儿估计不足呗，现在死的心都有。”

“也没那么糟，总编已经要求技术部处理了，应该不会传播出去的。”

“谁知道呢？很多人都改过密码，如果有人恶作剧的话……算了，不敢想。”

曾菲菲也不知道怎么安慰她好，只有默默坐在她身边。

两个人沉默了一会儿，苗豆豆说：“亲爱的，我可能要辞职了……我老公一直想让我移民到加拿大去，他已经在那了。我以前觉得那里没意思，现在我想还是去吧……有时候我真羡慕你，单身多好呀，自由，一定要好好珍惜单身时光呀……找一个各个方面都搭的男人再结婚。一旦结了婚，就别再惹事了，女人的青春玩不起的。”

曾菲菲差点和她说自己也早已闪婚了，但是又觉得苗豆豆的境遇实在复杂过自己很多倍，还是别提自己了吧。如果她走了还真舍不得，天下真是没有不散的筵席呀……正想着，谢灵过来跟曾菲菲说主任有请。

曾菲菲以为是要在自己版上加广告的事情，结果主任是让她下午去一趟联美广告找丁麦丁总，说他们有一个做洁具的大客户要投放广告，但是要与两性话题结合，比如在浴室里发情什么的，要她去谈一下方案才能确定投放。曾菲菲第一反应是这事是丁麦有意安排的，本来应该找负责家居的编辑。曾菲菲由于忙碌，两三个月没有见钱小美了，自然也没有见到丁麦，年会当日的场景她偶尔还会记起，还有那束花。

看得出主任的心情有点急迫，已经安排了其他编辑替曾菲菲盯版。她自然也不敢怠慢，下午一点半就到了泛利大厦。第一次看到丁麦穿正装，还有他的大办公室，有点晕。没想到他在联美的职位还挺高，奇怪，他真的需要在网上找女朋友吗？

丁麦看到曾菲菲来了，就递给女秘书一个文件夹，让她送到上地去。不知道是因为路途远，还是其他原因，女秘书的表情有点不愉快。丁麦又补充一句："这么远，你送完就不用回来了。"秘书应着，但是姿态依然有点扭捏。

待秘书走后，曾菲菲随口说："你们这儿真人性化啊，秘书还有点小姐脾气。"说完就坐在沙发上。

丁麦用咖啡机给她制作了一杯现磨的咖啡递过来。"试试吧，据说这个咖啡豆挺好的。"

"谢谢！"曾菲菲把咖啡拿到手上："我们领导很重视你的案子呀，刚收到意向就把我轰出来找你了，有这么严重吗？"

"严重，当然严重，这个单一百多万呢！"

"可我是编辑，不是销售，卖广告和我又没多大关系。"

"怎么没关系呀？你以为我就让你配合做选题来了？这个单就是你签的，之前你们主任都不知道到底能签多少额度呢……"

"这么好？"曾菲菲想到自己可能获得的奖励，够买一块卡地亚表了。她笑了："认识你还真不错，刚刚发现啊！"

"好的还在后面呢，呵呵。你就一点也不想我？"

"对，不想。你是钱小美男友，我想你干吗？"

丁麦摸了摸后脑勺，坐在她身边："我发现这女人真是冷血动物啊！我亲过你，你没拒绝，现在忘了？"

曾菲菲头一低："那不是喝多了吗？我承认错误。"

"可来不及了，怎么办？"丁麦又凑近了一点。

“什么怎么办？还能怎么办？”曾菲菲心有点虚了，办公室里只有他们两个人，走廊里也没什么动静。

“你真是妖孽，故意吊着我是吗？”丁麦边说边扳起她的脸亲了起来，曾菲菲赶紧挣脱了他站了起来，把手里的咖啡放在茶几上。她心慌得不行，想万一被人看到怎么办？

她瞪着眼睛说：“你干吗呀？什么意思呀？签个合同还要我卖身呀，我又不缺这点钱。”

丁麦站起来，握住她的肩：“那合同就是顺水推舟，爱签不签，跟咱俩之间怎样没关系，知道吗？”

“你别这样，被人看到怎么办？”曾菲菲又甩开他。

丁麦哈哈笑了起来：“所以要你今天来呀？方便，他们都拓展训练去了。还有啊，现在是什么年代呀，同学……咱别装了行吗？生命很有限。”

曾菲菲站在那里没有动，看着自己的脚尖，其实打第一次见到丁麦她就很羡慕钱小美，这是事实。对眼前这个男人她怎么也讨厌不起来，他帅、事业有成，要命的是他貌似还挺有情调。

曾菲菲不是情商很高的人，她并没有掌握假装正经与假装不正经这两个姿态之间转换的准则。她只觉得自己不应该去惹自己好朋友的男人，他再好也不能碰，何况自己也有家了。陈义刚虽然不懂浪漫，也不太会迁就她，但是他是个有责任感的丈夫，也在努力为家庭生活而打拼，他们结婚刚半年多呀，她怎么能这么快就移情别恋呢？

两个人站在办公桌前僵持了一阵，还是丁麦开口了：“我第一次见到你就有感觉，感觉我们之间一定会发生些什么。不是因为你多漂亮，我认识更漂亮的。但我想我可能爱上你了，想和你说，又怕你不信。”

“我是不信……”曾菲菲还是看着自己的脚尖。

丁麦看她没有刚才那样抵触了，轻轻地搂住了她，温柔地在她耳边说：“知道吗？其实很多假话是真的……”说完，就一下一下地亲她的耳垂。曾菲菲感到耳边一阵麻酥酥的，有一股柔情从体内升起，她的理智与情感做着激烈的斗争。

丁麦继续用轻柔的声音说：“你想这么多干吗呢？我们两情相悦，不伤害任何人，我不和你要求未来，不给你压力，我只想给你带来快乐，让你知道什么才是真正的女人，什么才是真正的男人。你是在为自己而活，而不是为别人，知道吗？”

“你忍着点吧，好不好？”曾菲菲无力地说着。

丁麦的手已经在抚摸她的后背，他说：“我们还要忍多久，已经好几个月了吧……”他边说边扶着她来到卫生间，对着洗手池上的镜子说：“你看，我们是天生的一对……”

曾菲菲看着镜子，看到自己的脸红红的，赶紧收回了目光。丁麦把曾菲菲按在墙上，对着她的嘴吻下去。曾菲菲又想到了那天晚上在他家里的场景，真是有第一次就有第二次呀。

丁麦的声音若隐若现：“你答不答应我并不可怕，可怕的是你对我无尽的思念……”曾菲菲的意志要决堤了。

就在此时，办公室的门忽然响了一声，随后好像有人进来了，这个动静将两个人吓了一跳。曾菲菲赶紧往后躲了躲，确认卫生间的墙完全将她挡住了。

丁麦的表情又沮丧又烦躁，小声骂了一句脏话，然后大声问：

“谁呀？”

“是我，丁总。”是那个小秘书的声音。

丁麦晃了晃脑袋镇静了一下，走出卫生间，而曾菲菲只好躲在墙后面一动不动。

“你怎么回来了？”丁麦的声音尽量平静。

“我出门后给他们打了个电话，那个王总他出去了，不知道下午还会不会在，所以我想还是明天送吧。”

“他不在你可以给他助理呀！明天还有明天的事呢！”于是小姑娘不说话了。

曾菲菲正进退两难，忽然听到丁麦高声喊道：“还愣着干什么？去送呀！”随后就听见办公室的门一响，女孩子的高跟鞋声音由近及远消失了。

曾菲菲确认办公室没有其他人了，才从卫生间出来，看到丁麦坐在椅子上发呆。

“我走了……”曾菲菲说。

“走什么？”丁麦不解地问。

“你别再为难我了行不行？”

曾菲菲纠结的样子让丁麦更加欲罢不能，他走过去搂住她的肩：“你固执什么呢？我和你说了，你不会影响到我和钱小美的关系。难道非让我说我和钱小美会长久下去，我只把你作为一个娱乐的对象你才放心是吗？有意思吗？”说着，他从抽屉里拿了一个文件夹出来：“这里面是那个洁具向你们社投放广告的协议书，给你吧。别搞得我好像拿这个和你交换什么似的。”

曾菲菲点了点头，拿过协议书。

丁麦接着补充道："做这个专题的时候，一定要找一对性感的模特，最好是外模，效果会比较好。"

"我知道了……"曾菲菲应着。

经过小秘书一搅合，丁麦的感觉也被破坏了不少，最终，他没有强烈要求曾菲菲留下，让她把合同带走了。

半个月后，丁麦让人事经理找小秘书谈了话，说她不适合做他的秘书，多付了一个月的薪水让她走人了。那姑娘临走找到丁麦哭了一鼻子，丁麦说："这也是给你一个教训，记住老板就是老板，职员就是职员，别因为老板高兴时给过一点笑脸就不知道天高地厚了。"

丁麦办公室遭遇战后的一段日子里，曾菲菲的精神总有点恍惚。特别是有一天，钱小美约她出来喝茶，坐在钱小美对面，她一直有点走神。她忍不住想钱小美和丁麦在一起会是什么样？也是那样的接吻吗？肯定比她和陈义刚在一起有激情得多。

钱小美说，她有一天收拾东西的时候，看到了她们两个去年拍的大头贴，好亲密的。

曾菲菲叹了口气，说："是呀，咱俩要能永远这么好就好了，我好怀念咱们单身时的日子啊……"

"行了啊！你就是这个贱脾气，别为赋新词强说愁了啊！小神经病似的。"

曾菲菲被她骂惯了，也没回嘴。

钱小美又问："你和你家刚哥怎么样了？还不错吧。"

曾菲菲又惆怅了："他最近可能工作压力大，脾气时好时坏的。而且，前几天，我过生日，他居然都没送我生日礼物，我和他赌气呢，他最后还教育我，说过日子要务实一点，别老整那些虚的，我无语，真的，无语。我现在怀疑他根本就不喜欢我，是凑合结婚的。"

"不至于吧，不过我以前倒是听陈义冰说过，他这弟弟有点书呆子气，不太懂人情世故的。你慢慢教他……"

"这还用教？"

"你以为男人天生就会犯贱啊？"

曾菲菲再叹一口气，看向窗外。

"我说，你也不问问我和丁麦过得怎样？"钱小美突然向曾菲菲发问。

曾菲菲尽量让自己看起来自然："哦，肯定特好呗。他肯定会犯贱吧！"

"你怎么知道的？"钱小美的话让曾菲菲心头一紧，好在钱小美并不需要她回答，接着说："他在床上太棒了，就是有点淘气，有一次我们俩做的时候，他还说要给你打电话呢，让你听我们的声音！"

"啊，你们玩你们的，扯上我干什么呀？"

"他就是这么变态，你知道吗？"钱小美忽然紧盯着曾菲菲的眼睛说："他还提议过咱们三个玩三人行呢，他说那样肯定特刺激。其实我也没意见，就怕你不干。"

"大姐，你别把我拐带坏了好吧！"曾菲菲瞪了她一眼后又把视线移开。

"你还用我带吗？"钱小美笑着说："没有人说你长得像狐狸吗？我想是个男人都想拐带你，你顶得住吗？"

“去去去，不知道你要说什么。”曾菲菲说着看了一下手表，惊呼起来：“天呀，五点了！”

“五点怎么了？”钱小美问。

“我得回家做饭了，陈义刚大概六点半到家，我要五点半左右开始准备？”

“你还真做贤妻良母了？”

“是呀，我爸妈教育我结了婚就该这样生活，伺候好老公和房子。不过我家卫生是刚哥打扫，饭是我做啦。”

“看你这个样子，我都不想结婚了。”

曾菲菲边说边起身收拾好东西：“回头再叙吧，我真的先回家了啊……”说完竟摆摆手一溜烟跑了。

钱小美有点沮丧，好消息还没跟她说呢，明年她们组要做一个展示欧洲文化的节目，她要过去工作近一年，很难得的机会。

曾菲菲越来越有主妇的样子了，她终于从自己身上发现了巨蟹座的特质，一个适合家庭生活的女人。她虽然没怎么学过做菜，但是照着菜谱，竟然能烹制出和自己父母的作品差不多的美味了。

陈义刚六点四十进了家门，看到桌子上的菜立马有了一种幸福感。但看到洗衣筐里摞的脏衣服和有日子没擦的地板，他又觉得有点惆怅。一个已经被事业搞得很疲惫的男人，回到家里，为什么就没有一个清清爽爽的环境呢？

他一边吃饭一边又和曾菲菲谈起了老话题，让她辞职，理由还是一样，又挣不了多少钱，还不如好好管管家呢，如果实在爱写东西，可以在家写书嘛。

可曾菲菲的理由是一个女人没有社会生活就废了，闭门造车，又能写出什么像样的作品呢？两个人又为此又争执了起来。最后曾菲菲觉得委屈得不行，自己也是个骄傲的姑娘，为什么嫁的男人一心想要把自己调教成家庭主妇呢？她已经改变了自己，但是丈夫似乎并不满足，那么还是回到以前的自己，起码那样自己高兴，现在这样两个人都不高兴。

两天后，曾菲菲没有回家做饭，而是赴了费曼的约，她们两个人在凯莱大酒店吃自助晚餐。曾菲菲也不明白为什么，费曼已经把她当成了好友，而且总喜欢和她探讨婚姻问题。

比如她会问你爱不爱你老公呢？曾菲菲反问她，你爱你老公吗？她说："说不清，他有的时候很不是东西，我恨不得杀了他，但有的时候，我觉得他是我最亲的人，是孩子的爸爸。"

曾菲菲又问："你觉得自己过得好吗？"

她说："也说不清，倒是不缺钱。"

和旅行途中一样，费曼三句话不离钱，其实她们根本不是一类人，曾菲菲甚至后悔和她待在一起，有点浪费时间，她只是不想那么早回家做饭。

因为丁麦的原因，曾菲菲不太敢见钱小美，苗豆豆最近也办了辞职，不知道是否在忙移民的事，不好打扰。费曼算是填了个空，但是真见了又有点添堵，这个女人一直自顾自地说着自己的那些房产，老公追她时候送的礼物等等……曾菲菲一度走神了。

正迷茫着，手机响了，是编辑部主任来电，说"浴室情爱"那个专题，明天要赶出来，客户想看看。可是离清版还有五天呢，主任的语气却异常坚定："虽然咱是编辑部不是广告部，但是广告是整个杂志社最重要的事，客户有需求，编辑只能执行。"曾菲菲本能地认为是丁麦这个家伙在找事。不过也好，她可以托词离开了，免得在这儿一直听费曼唠叨卡地亚、爱马仕。

回到家已经快十点了，想起要整理那些图片和文字，曾菲菲就一阵头疼。

她还没在书房坐定，陈义刚就出现在她眼前："今天和谁吃饭去了，这么晚才回来？"他看起来不太高兴。

"一起去法国的那个费曼，她约我好几次了。"

"她约你就得去呀？又不是什么重要的人，都结婚了还不收心。"

曾菲菲听这话听得耳朵都快长茧子了，她摆了一下手："我有交往的自由，我什么时候也没阻止你和客户见面。"

"那女人一看就不像好鸟儿，回头把你带坏了，你根本就不会看人。"

"不就吃一顿饭吗？有这么严重吗？"曾菲菲一边说一边把笔记本电脑放在桌上。

"你要干吗？"陈义刚问她。

"什么干吗？工作呀。"曾菲菲答。

"几点了，还工作？赶紧洗洗睡吧。你都好几天没尽义务了……"

"刚接到的任务，明天要交一个专题，今天要熬夜了。"

"啊！那你还出去玩？"

"我也刚知道呀，老大！领导电话通知的。"

“你们领导有病吧！你们这工作是正常人干的吗？晚上十点打电话让人加班。”

“这行业就这样，没办法。”

“你就不做，看他能把你怎么办？”陈义刚此时的表情简直像个孩子。

曾菲菲干脆不再理他，把摄影师给的碟放进光驱，开始干活。陈义刚在她边上站了一会儿，弯下腰来亲她的脖子和肩膀，曾菲菲的心都毛了起来，觉得丈夫这个时候调情不合时宜。

她一下子甩开了他放在她肩上的手，焦躁地说：“别闹了好不好，人家一堆事呢！”

陈义刚不仅不离开，还过来抱她，想把她拖到卧室去。

曾菲菲脾气来了，使劲推了他一下，陈义刚一个趔趄差点摔倒，他觉得自己颜面尽失，吼道：“你那点破事有什么可做的？又没多少收入！”

曾菲菲最反感别人贬低自己的工作，也火了，高声叫道：“你干吗天天贬低我呢？你想要收入高的女人，当初就不应该找我，你应该去娶富婆，要不，你干脆给富婆当二爷。可是人家富婆会要你吗？你一没体力，二没模样！”……

两个人就这样你一言我一语地吵了起来，半个小时后，事情发展得很激烈，曾菲菲裙子的肩带被陈义刚拉断了，陈义刚的胳膊被曾菲菲咬了个紫色的圆圈，最后曾菲菲的电脑被陈义刚扔在了地上，停止了工作。

“混蛋！”曾菲菲气坏了，她换了一条裙子，哭着背起包跑出了家门。陈义刚连忙去追，结果没跑几步拖鞋底子竟然掉了，他先摔了个跟头，再起来的时候，老婆已经没影了。他赶紧跑回家，给曾菲菲打电话，没人接，再发短信，也没人回，这才感觉到事情的严重性，他坐在沙发上抓着自己的头发，后悔不已。

曾菲菲回家之前，他还想象用各种甜言蜜语把老婆哄上床，没想到见到她却搞出了这么个局面，他每隔几分钟就给曾菲菲打一次电话，可是她一直不接，能去哪儿呢？想不出。

曾菲菲出了小区溜达了一会儿，有一种无家可归的感觉。总不能回娘家吧，父母会更加担心她的婚姻的。她依然很生气，没想到陈义刚会摔她的电脑，自己的胳膊也隐隐作痛，拉扯中似乎受了点小伤，她坚决不接他的电话。再想到有待完成的稿子，她叹了口气，只有去办公室了。

偌大的编辑部只有曾菲菲一个人，开始她还有点害怕，等进入工作状态后，逐渐好了。手机还是隔一会儿就会响，她依然不理会。忙了一会儿她登陆了 MSN，看到钱小美了，她的眼泪一下子流了下来。

她对钱小美说："我快气死了，遇到家庭暴力了……"

钱小美显然吓了一跳："怎么回事？"

原因她不知从何说起，只说结果："他摔坏了我的电脑，还撕坏我一件衣服。对了，就是你男友那边的事，要我明天交专题，才会这样……"

"你说的什么呀？我不明白。你人现在在哪儿呢？"

"办公室……"

"要不来我家？"

“你一人在家？”

“是呀。”

“算了，我先工作吧……完事了联络你。”

和钱小美简单聊了几句，曾菲菲觉得心里舒服了些，接着倒腾专题大片儿，沉浸在工作中，逐渐忘了时间。当她觉得眼睛酸，将目光从屏幕移开的时候，忽然发现眼前站了一个人，她马上跳了起来，尖叫的声音还没冲破喉咙，嘴就被捂上了。

曾菲菲被吓坏了，挣扎着要甩开这个人，那个人开口说话了："是我呀，丁麦，别叫，千万别叫……回头把保安给引来了！"

曾菲菲一下子傻了，终于睁大眼睛看着他，他这才把放在她嘴上的手拿开了。

“你怎么会在这儿？”曾菲菲非常疑惑。

“你刚才告诉我你在办公室的呀？”

“我告诉你的？”

丁麦一笑：“钱小美出去买烟去了，我在网上看到你和她说话，又是这么严重的事，总不能不理你吧。”

曾菲菲一掌打在他身上：“讨厌，你没事要我交什么专题？还不直接找我，找领导，太不是东西了你！”说着眼泪淌了下来。

“对不起，宝贝儿。我就是想专题出来了，需要沟通呀，咱俩不是又有机会见面了吗？”，正说着，丁麦的眼睛忽然瞪圆了，看着曾菲菲的右臂，上面有一块醒目的青紫色，他的声音高了几度说：“你这是怎么回事？”

“他拽的……”

“都怪我不好，我实在想你太久了……我哪知道竟然给你带来了家庭暴力呀？实在对不起……”

曾菲菲不说话了，只坐在座位上哭，她忽然觉得自己好委屈。以前从来都是男人呵护她，不知为什么婚后她得到的关爱少之又少。是陈义刚的问题，还是婚姻本身的问题，说不清楚。

丁麦先去把办公室的灯关了，然后把座位上的曾菲菲抱了起来，然后将她放在中间的会议桌上，轻声说：“我知道你现在觉得委屈，孤独，所以我来了，我会疼爱你的，让你得到女人该有的快乐……”

曾菲菲哭得更伤心了，借着月光，丁麦能清晰地看到她的泪痕，于是，他俯下身去舔她脸上的泪，吻她的唇，但是曾菲菲还是没有停止哭泣。

丁麦又无声地蹲下了身子，不一会儿，曾菲菲的脚一阵刺痒，原来脚指头被他含在了嘴里，她轻轻地“啊”了一声，坐了起来。

“怎么了？”丁麦抬头笑着问她。

“你这是干吗……”曾菲菲笑中夹杂着委屈，让丁麦的裤头儿更热了，他起身一下子抱住了她，无声而疯狂地吻她。

曾菲菲快要窒息了，同时，感官也被他点燃了。但嘴里却小声说着：“不能这样呀，我们这样不对吧……”丁麦边吻边除去了她的抵御，曾菲菲呼吸急促，心跳猛烈得快要爆炸了。

他进入的那一刻，丁麦将四个手指放在了她的嘴里。为了控制住自己的声音，她使劲咬住了他的手，他觉得很疼，同时也觉得很刺激，因此他的动作便更加剧烈，就像一只野兽正在袭击一只无辜的小鹿。大约过了二十分钟，丁麦浑身颤抖着扑倒在了曾菲菲的身上，曾菲菲的意识完全混乱了。

等清醒过来，曾菲菲才感到自己的后背被会议桌咯的生疼，两条腿也麻了。她忽然后悔了，觉得自己真是疯了，居然和一个不是自己丈夫的男人在办公室里亲热。从来没想过的，事情怎么突然之间变得不可收拾了？

“这下你满意了吧？”曾菲菲从会议桌上下来缓缓地说。

“不，你真是个妖精……要满意的话，还需要很多很多次才行，我想我栽在你手里了……”丁麦边说边亲她的脸。

曾菲菲推开他，整理好自己的裙子：“你不觉得我们这样对不起钱小美吗？”

丁麦从背后搂住她，温柔地说：“你的话太多了……我们已经耽误了很多时间，没有我，你就甘心和你那个平淡的老公天天混日子吗？他一看就不会讨女人喜欢，对你也不温柔体贴吧？懂得欣赏你的好吗？你甘心睡在他身边直到变成一个真正的老太太，几十年里再也没有被男人宠爱的经历？既然现在有我，也不会影响你的家，你想那么多干吗？我都懒得再说了……”

“我做不到你这样无所谓，我现在心里很乱……”曾菲菲蜷缩到接待客人的沙发上。

丁麦也跟着过去，坐在她身边，抚摸着她的大长腿：“只要你需要，我就会来陪你……”

“算了，到此为止吧，你赶紧回去吧。把刚才的事忘了……”

正说着，手机又响了，曾菲菲把手机拿了过来，竟然是钱小美，她先惊讶地看了看丁麦，点了接听键：“怎么了，亲爱的？”

“你在哪儿呢？你老公给我打电话找你，我打了好几个电话你都不接。”

“他怎么会有你电话呢？”

“他找陈义冰要的！你也真是，人跑了，电话都不接……”

“哦，他把我电脑摔坏了，我得找地方弄稿子……再说，再说他这么欺负我，肯定不能理他呀。”

“那你在哪儿呢？我转告他，否则他要疯了。”

“才不会，我是他烦恼的根源，他只要不看见我，身心就是愉悦的，见到我就会有这样那样的不爽。”

“别胡说了，赶紧说你在哪儿？我也担心呀。”

“能在哪儿，社里加班呗。”

“哦，要不你找我来？”

“不去……”

“行，那先这样，我挂了。”

“小美……”

“怎么了？”

“你……你在做什么呢？”

“收拾东西呢！丁麦这家伙不知道跑哪儿去了？也不知道把啤酒瓶子和垃圾处理一下！还是你老公靠谱，急坏了。”

曾菲菲坐起身来，看着丁麦英俊的面孔：“都是你害的，我对不起钱小美……”

丁麦把她揽在自己怀里，这个女人看起来纤细，却柔软无骨，抱起来软软的全是肉，很舒服。

“你走吧……我老公一会儿没准来找我了。”曾菲菲说。

“好吧……”丁麦点了点头：“专题不着急了，过两天再给吧……”

“知道了……”

在丁麦蹑手蹑脚准备离开的时候，曾菲菲问她：“你是怎么进到社里来的？保安不拦你？”

丁麦笑着：“我平时常来，所以你们社长给过我一个实习生用的门卡。至于保安，我在楼道潜伏了十分钟，看到他去洗手间，迅速闪进来的。你们这儿不光你加班，我看到另外一间屋里好几个人呢，多刺激呀，哈哈……”

半个小时后，陈义刚真的来到了写字楼前，曾菲菲接了电话，执拗了一阵便与他回家了。这一次吵架的成本对陈义刚来说有点高，曾菲菲的笔记本底盘裂了很长一道缝，他得去拥堵的中关村解决这个问题，维修费用是其次，来回搭的时间可不少。

更可怕的是因为拦截时力度过大，曾菲菲的胳臂上有了一片醒目的青紫印，比他身上的牙印看起来厉害得多。曾菲菲是从小到大被父母尊重的孩子，没有受过皮肉之苦，所以对自己的婚姻非常失望，她不想再委屈自己做贤妻良母了，从此她是她，陈义刚是陈义刚。

有知识没文化

现在我结婚了，
回到家，看到自己漂亮的新婚妻子，
会觉得拼搏是那么有意义，
希望有一天我可以让她过上富太太的生活，
那样我就更有成就感了……

周一上午，曾菲菲来杂志社开会时，苗豆豆已经不在了，这让她有点不适应，虽然这姑娘有了所谓不正当男女关系，但是在曾菲菲眼里，她还是一个率真的好姑娘，最后被沦为大家的笑柄实在是造化弄人。

当大家围坐在会议桌边开会的时候，曾菲菲的心里怪怪的，主编两肘放的位置，正是自己那天和丁麦销魂的地方，她不由得闭上了眼睛，想起几天前的场景。

自打那一次之后，她经常会收到丁麦的短信，有时是问候，有时是想念，还有时是分享荤段子。随着对陈义刚的失望，这个男人逐渐占领了曾菲菲的身心，他是和赵克凡有点相像的人，工作努力、形式上尊重女人、爱好文艺。也许当初还是应该找这种人牵手，但她又明白，这种人其实不适合婚姻，只能叹气，这世界上就没有两全的事。

为了缓和矛盾，周六陈义刚主动要求和曾菲菲一起去拜访岳父岳母。为了遮挡胳膊上的青紫，两个人都穿了长袖衣服。到了家，他生硬地叫着爸妈，脸上堆着不自然的笑。曾父做午饭的时候，他主动站在一边打下手，结果打翻了一个糖罐，还差点把醋瓶子给摔了，多亏曾父身手比较敏捷，及时扶住。

曾母在卧室里拉着曾菲菲聊天，非说她瘦得不像样子了。曾菲菲还是报喜不报忧，虽然心里不以为然，但嘴上没有说陈义刚一个“不”字。曾妈妈将信将疑，看着曾菲菲的脖子上手腕上没有添置什么细软，总觉得自己的女儿没享到什么福。

曾菲菲反驳她：“我这个年龄戴那么多乱七八糟不奇怪吗？”

“那有什么奇怪的，翡翠、白玉、钻石，哪个不适合年轻姑娘了？我看你这老公脑子里就没这些事，就瞎忙自己的工作吧，也没忙出什么所以然。”

曾菲菲不爱听了，虽然她有对陈义刚不满意的地方，但从别人嘴里说陈义刚不好，她还是觉得不舒服，虽然妈妈不是外人。

“现在像他这种没什么背景，老老实实创业本来就不容易，他压力很大的，你们是不知道，我也不在乎那些首饰什么的，以后条件好了自然会有……”

“要么人家都说北京姑娘傻呢？有一个算一个，你看看你这小模样，工作又体面，找个什么样的找不到？李阿姨那个姑娘，在日资企业上班，后来嫁给了老板的弟弟，是家族企业啊，各个兄弟都有份。”

“妈……”曾菲菲抓住了妈妈的手：“我不适合那种生活的，我喜欢工作，不是太太命……而且我已经结婚了，别人再好我又能怎么样呢？别说这些没用的了，好不好？”

厨房里，陈义刚也在和曾爸爸聊着天，他说：“爸，菲菲有时候有点小孩子脾气，常生我的气，我现在上班的时候想起这些都紧张，要不您劝劝她，咱毕竟不是小孩了。”

曾爸爸语气温和地回应：“我的女儿我知道，她心地善良单纯，但是自尊心和个性还是比较强的。其实有没有钱对她倒不重要，重要的是老公对她好，呵护她。我记得她一开始对我们提起结婚这件事，我和她妈妈吓一跳，说刚认识多久呀就结婚？但是她当时特别坚定，她说她找到一个适合当老公的人，这人一定会对她很好，让我们放心。”

陈义刚叹了口气：“可能我太忙了吧，对她关心不够。”

“我是觉得让一个女人有幸福感也没那么难，作为男人，心胸宽广些，对女人，要像个爷们儿，肯担当，为她遮风避雨，她就会安心跟你一辈子，女人嘛，毕竟是软弱一些，特别是心里，总是希望有人可以依靠。”

陈义刚点了点头：“我回家一定好好消化爸爸的话。”

晚上，他们双双离开，在路上，丁麦发来短信：“明天我去《特色》，一起午饭吧。”

曾菲菲回了个：“嗯！”

“谁呀？”陈义刚问。

“同事。”

“什么事呀？”

“工作的事。”

陈义刚“哦”了一声也没再追问。

天逐渐凉了，几乎没有过度，冬天就提前到了。2009年，天气反常，十一月一日就下了一场雪。曾菲菲和陈义刚平淡地迎来了第一个结婚纪念日，要不是陈妈妈发来短信祝福，他们两个恐怕都把这个日子忘了。

几天之后，钱小美约曾菲菲出来坐坐，而前一天，曾菲菲刚和丁麦见了面。她奇怪自己面对钱小美没有了一开始的那种内疚感，可能是因为和丁麦约好了，并不进入彼此生活的核心，只做临时的陪伴。但，女人毕竟是女人，身体是跟着心走的，对这个男人，她越来越期待了。

钱小美问她最近忙什么呢？她说：“很惆怅啊，又恋爱了……”

钱小美眯着眼睛看她：“你不是不相信爱情吗？”

“每次恋爱的过程中，我相信，过去之后就不认账了……”曾菲菲的笑容兼具了甜蜜与伤感。

为什么甜蜜，因为快乐，为什么伤感，因为缘起即灭，缘生已空，因为情到浓时情转薄，她知道一切早晚会成为过去，就像她当初和赵克凡一样……

在曾菲菲的提议下，两个姑娘又一起去五道口服装批发市场里照了大头贴，和去年一样。她们把合影做成了时尚杂志封面的样子，曾菲菲正选着装饰框，钱小美说明年春天起，她要去欧洲工作大半年，根据地是巴黎。

曾菲菲很替她高兴，嘱咐她一定要在歌剧院看一场歌剧，回来告诉她感受。钱小美骂她附庸风雅，曾菲菲心里突然涌起一种复杂的情愫，从背后轻轻抱住了钱小美。

“干吗呢？小贱人……”钱小美继续笑骂着。

曾菲菲温柔地说：“没事，一想到你要去欧洲那么久，我现在就开始想你了……”

钱小美说：“你瞧你这个样子，就跟做了什么对不起我的事似的……”

曾菲菲听了这话心头一紧。

当晚，钱小美与丁麦约着一起吃饭，她叫曾菲菲一起，但曾菲菲怎么都不肯。于是钱小美和丁麦一起吃了晚餐，之后带他去自己的住处，两个人的状态很像一对夫妻，靠在一起看电视节目。

丁麦抚摸着她的后背问：“今天都做什么了？”

“下午和曾菲菲逛五道口去了。”

“你们俩还去这种地方呢？”

“是呀，我们相约每年在那里照一组大头贴。”

“呵呵，你们俩跟一对高中生似的。”

钱小美忽然转过头看着他：“你不是挺喜欢她吗？告诉你一点她的八卦怎么样？”

“哦，什么八卦呀？”丁麦平静地问。

“她说她又恋爱了……”

“哦，她不是有老公吗？”丁麦在心里觉得曾菲菲说的恋爱与自己有关，暗自喜悦。

“你的言论很奇怪啊，本来你不是觉得结婚不算什么，依然可以想干吗干吗？想上谁上谁吗？”

“是呀，但是你不这么想呀，你已经影响到我的人生观了，哈哈！”

钱小美“哼”了一声，继续看她的电视。

同一时刻，曾菲菲与陈义刚在各自的电脑上忙着各自的事。一阵手机铃声打破了平静，陈义刚连忙去接电话，在说了一堆曾菲菲完全听不懂的技术术语之后，匆匆忙忙地拿起手包到门口去穿鞋子。“这么晚了，你去哪？”曾菲菲问。

“一个用户那边的机器出了点问题，现在还说不好是硬件的问题还是软件的问题。公司的工程师出差了，只能我去看了。”陈义刚动作麻利，很快就收拾好了，临出门嘱咐曾菲菲：“我带钥匙了，一会儿你睡你的觉，不用等我。”曾菲菲点点头，看着陈义刚出了门。

陈义刚走得匆忙，电脑都没有关，过了一会儿，曾菲菲忽然有了些好奇心，想看看陈义刚每天对着电脑都忙些什么，她甚至想，也许他也会和QQ里一些不靠谱的女人谈情说爱。他的QQ果然还开着，曾菲菲看了几个人的聊天记录，全是工作的事情，一无所获。她又看看那些他没有来得及关上的网页，除了有新浪的新闻之外，就是他的邮箱，还有一些与工作相关的网页。她一一点开，最后发现了他未来得及关闭的新浪博客，署名“有知识没文化”。曾菲菲笑了，她常这么说他，没想到他用作了博客的名字。她觉得自己终于找到了一点有趣的东西，于是坐在电脑前一篇一篇地看。

2009年1月5日

工作中总会有许多困难，想到那是我必须要承担的，便多了一份淡定。但每天回到家中，我还是会把危机带回家。很庆幸，现在我结婚了，回到家，看到自己漂亮的新婚妻子，会觉得拼搏是那么有意义，希望有一天我可以让她过上富太太的生活，那样我就更有成就感了……

2009年2月10日

总是难免把不良情绪带回家，但是并不想把烦心事对老婆说，男人嘛，大多时候还是要自己承担。如果老婆能像妈妈就好了，在你疲惫的时候递过来一杯茶，多温暖。我的父母要回老家了，本来我是想婚后把他们接来和我们一起生活。看来我的思想太老套了，或者说幼稚。老婆并不喜欢刚结婚就一大家子人住在一起，开始我不以为然，现在我理解了，我的父母和我生活了三十余年，我是习惯了，但她哪会这么快习惯呢？妈妈和我谈了一次，最近想回老家，给我们俩充分磨合的时间。婚姻需要磨合，这是我从前从来没想过的问题……

2009年3月2日

春节过去了，我带老婆去欧洲度了蜜月。有一件事想起来不太舒服，她在商场里看上一只包，价格一万块，我觉得这价格简直是敲诈，没有给她买。但当导游集合的时候，特别是最后一天回国的时候，我发现同团的人，每个人手里都拿着几个大袋子，有LV、GUCCI，或者其他什么品牌的包包，而我的老婆手里几乎什么都没有。虽然没和她说什么，但是我心里不太是滋味。同行的女人其实没有一个比我的老婆漂亮，是不是我对她太不好了呢？但我依然觉得一万块买一个不是皮的包纯属有病。说不清楚……

2009 年 7 月 20 日

有一件事我不明白，似乎我可以和所有人都处好关系，却总是和自己的老婆处不好。我一个人呆着的时候，经常想到她的好，也知道她对我的种种要求和所有女人差不多，并不过分。但面对她的时候，心里就像住着一个魔鬼，总是要惹她不高兴，看不惯的事情，总是要说她。独处的时候，我想过很多次，我要改善自己，但是和她在一起，却总是做不到包容，不明白为什么。也可能我从小没怎么看到我父亲对母亲体贴过，所以我不知道该怎么做，怎么做我都觉得别扭……

曾菲菲浏览了一遍陈义刚的博客，不多，十几篇，几乎每一篇都会提到“我老婆”。也许他自己都不觉得，工作与老婆几乎就是他生活的全部。看到这些文字，曾菲菲先是惊讶，紧接着便感动了，她从前老抱怨嫁给了一个冷血动物，看来他并不是不爱她，只是不会表达。他真傻，宁可把这些话说给没有生命的电脑，也不告诉她。她当初觉得这个男人很适合当老公，原来一点儿也没错。随之叹了口气，如果早一点知道就好了，就不会因为对婚姻失望而在别的男人那里寻找慰藉。

陈义刚解决完客户的问题已经夜里两点，到了家洗完澡已经过了三点。他刚打开卫生间的门，忽然想起曾菲菲经常说他洗澡动静大，很吵，于是他有意识地轻轻按下灯的开关，再慢慢地关上了门，蹑手蹑脚地来到卧室，上了床。

刚躺下曾菲菲就过来搂住了他，温柔地说："老公你辛苦了……"

陈义刚嘿嘿一笑："你怎么还没睡呀？"

"你没在我怎么睡得着……"曾菲菲边说边来亲他的脸和嘴。

这让陈义刚颇感意外，在他印象中老婆从来没有主动亲过他，本来已经困倦的他忽然又提起了点精神，继而发现曾菲菲身上还有淡淡的香水味，她的长头发轻轻地蹭着他的脸颊与前胸，痒痒的，他慢慢有了回应……

完事了，陈义刚问曾菲菲："你今天怎么想要了？这几天一直对我爱答不理的……"

"我忽然觉得你也挺不容易的，该对你好一点……"

"可是老婆，你累着我了……"陈义刚的语气居然有了点撒娇的意味，激发了曾菲菲的母性。

她把他的头揽在胸前，温柔地说："老公，好好睡吧，明天晚点起床好了……"

陈义刚长叹了一口气，说："不行呀，明天好多事啊……"

两个人很少有地相拥而眠，曾菲菲先看着陈义刚睡去，心底一阵柔软，往日积累起来的怨气顷刻间似乎烟消云散了，但同时负罪感又占据了她的大脑。和丁麦的交往给她带来了陈义刚无法给予的感受，更像恋爱，让人欲罢不能。陈义刚则更像亲人，虽然你背着他做了坏事，但并不想伤害他。就像小时候背着父母去逃学，身心有了片刻的自由，但玩过之后还是要回家的。

打主动进攻陈义刚那一夜开始，曾菲菲发现自己是个贪心的女人。陈义刚和丁麦两个男人她都放不下，虽然新的爱情让她看起来更加娇艳美丽，但不忠的罪恶感又折磨得她比从前还瘦，下巴也越来越尖，正好顺应了当下瘦脸的潮流。朋友们都觉得曾菲菲越来越美了。

虽说曾菲菲是80后，但是有时候思维像70后，是个矛盾体。她既需要激情又需要安全感，既看重婚姻，又无法忍受内心的寂寞，做了有悖于传统的事，之后又觉得自己犯了错。

丁麦一直说想让曾菲菲和他一起去厦门度假，他在那里有一所海滨公寓，特别想和她朝夕相处几天，相拥入眠，一起迎接第二天的早晨再好不过了。其实，工作时间相对自由的曾菲菲是完全可以做出安排的，但是她认为自己没有资格去享受这甜蜜的二人世界，因为他有钱小美，她有陈义刚，她觉得那两个人太无辜了。

但是她没有拒绝与丁麦在北京约会，虽然心情总是很矛盾。她喜欢丁麦带来的前戏，当他用下巴在后面顶她的脊柱的时候，那种又酸又痒的感觉会在顷刻传遍她的全身，让她的欲火燃烧得旺旺的。然后他又会火上浇油地去舔她的耳垂、耳孔，甚至脚趾，让她觉得既难受又快乐。

最受不了的是丁麦喜欢把她拉到浴室的镜子前，让她对着镜子看两个人交合的样子。她总是不愿意抬眼去看，但是他却要托住她的下巴或者拉起她的头发，让她不得不面对他们正在做的事，那一刻到底是恨他还是爱他，她也说不清楚。曾菲菲每次都在混乱的意识中达到顶峰，清醒之后便责怪他让自己中了毒。丁麦不管她怎么想，每次激情过后一定要搂着她，抚摸着她滑嫩的肌肤睡一小觉才肯放她走。这种甜蜜的煎熬伴随着曾菲菲，无限刺激着她的荷尔蒙分泌。

然而，很多事都证明了一句经典的老话——天下没有不散的筵席。丁麦的中国老板要休产假，他即将被调回上海总部接替老板几个月的工作，而且接下来还要不要回北京，目前还是个未知数。

这个消息是钱小美告诉曾菲菲的，听到这个消息她尽量让自己显得平静，“那你们两个怎么办?”曾菲菲问。

“异地恋呗……”钱小美的反应更平静：“反正他不去上海的话，我过几个月也要去欧洲了，总要分别一段，之后怎样，谁知道?”

“你真想得开……”曾菲菲随口说着，心里非常失落。

“能怎样？我们这些讨生活的女人，只能让生活安排我们了。说实话，我累了，感情也用得差不多了。”

钱小美一边说一边翻着咖啡馆里的涂鸦笔记，翻到一篇好玩的，就拿给曾菲菲分享。其中一篇写到：“我知道你不喜欢甜食，但是我喜欢，不知道你现在喜欢吃了吗？因为你爱我，所以可能会尝试和我有一样的习惯吧……”下面有个类似批示的文字：“已阅，尽量和你一致吧。”曾菲菲不禁一笑。

钱小美又拿另一本翻了几页，被一篇文字逗得笑出声音来，再拿给曾菲菲。上面这样写道：“阿风不知道在多伦多怎么样了？我想他对我还是有点感情吧，留学的时候我们相处得还不错，虽然知道是没有结果的，但是怎么也忘不了他，这真是孽缘呀。老郎，其实也没什么大问题，除了人长得老点儿，挣得少点儿，个子矮点儿，人啰嗦点儿，好像也说得过去，可是我怎么就那么不喜欢他呢？我想我这样的女人估计也就这样了，这么大岁数了，长得又一般，谁还会喜欢我呢?

这个博士我也不想读了，太累，干脆我做尼姑去吧，但是庙门向哪儿开，我也不知道。要不我把自己杀了得了，又没什么好方法……”

曾菲菲可是一点也笑不出来，这个自嘲的日记让她感觉凄凄惨惨的，而且她脑子里还在想丁麦要去上海的事，怎么自己喜欢的人都要去上海，去年是赵克凡，今年是丁麦。正想着，钱小美接到了一条手机短信，她看了看内容，说：“领导让现在回单位，前几天剪辑好的片子要再过一遍。唉……日复一日地工作，哪像你，回家还有个人说话……”她边说边背起包，示意曾菲菲一起离开。曾菲菲精神有点萎靡，说你先走吧，我再坐一会儿。钱小美摆了摆手，和她道别。曾菲菲背对着门口，她回身目送钱小美出了门，又将自己的身体陷在沙发里。

她鬼使神差地拨了丁麦的号码，此前她几乎没有主动打过。电话响了好一阵儿，对方才接听，他的声音听起来没什么异样。

“你要去上海了是吗？”曾菲菲开门见山。

“是呀，还没和你说……等我换个地方啊……”丁麦可能是在办公室里说话不方便，过了一会儿，他说：“很头疼的事，其实我明年已经要在清华上 EMBA 了，这个时候叫我回去，华北区总监的这个坑也会有人填上，不知是临时的安排还是什么……其实，最重要的是，我舍不得你，以后见面不方便了……”

曾菲菲说：“什么时候决定让你去上海的，怎么也不告诉我？”

“我想等快走了再告诉你，少给你增加烦恼。”

“你怎么知道走了会给我带来烦恼？太自信了，呵呵。”曾菲菲虽然这么说，但心里很不是滋味。“以后多去上海出差吧……”

“不去。”

“怎么？不高兴了？”

“是，不高兴了，我喜欢的人最后总要去上海……”正说着，她下意识地一抬头，像做梦一样，钱小美竟然站在她的面前，曾菲菲挂了电话。

“谁？丁麦吗？”钱小美其实也不确定，她想诈一下曾菲菲。未料到曾菲菲轻轻点了一下头。

“你们什么时候开始的？”钱小美依然是要诈一下，如果曾菲菲说没事，她宁愿相信。但曾菲菲低头不语，她不想欺骗钱小美，也不知道该说什么。

“亏我还把你当作最好的朋友。”钱小美由于生气，一时想不出太有分量的话来。其实她早就预感到两个人会有事，“杂志社”和“广告公司”，怎么会没有单独见面的机会？

曾菲菲抬头看她，说：“对不起，小美，你也是我最好的朋友……我”

钱小美再说不出其他，先将自己落沙发上的墨镜放回包里，然后再拿起了服务员还未来得及收起的水杯，将水泼在了曾菲菲脸上后，愤然离去。

曾菲菲低下头，听到钱小美的高跟鞋声急促地消失在咖啡厅里。她现在心里很怕，怕把钱小美伤害得太深，怕两个人就此决裂，最可怕的是她不知道现在该怎么做才能挽回两人的关系，这些恐惧的力量远远超过周围人异样的眼神。

这一天是星期五，晚上，她拖着疲惫的身体回家，意外地看到陈义刚已经在家了，而且还准备了一桌子菜。

“今天怎么这么早？”曾菲菲问他，尽量假装什么事都没发生。

“嗯，这个月业绩很好，所以今天高兴，给自己放了半天假。”陈义刚看起来心情不错。他接着说：“你不是喜欢玩吗？晚上咱俩找个酒吧好不好？我没怎么去过呢……”

“这个，好呀……”曾菲菲应着，不想扫他的兴。

晚上，两个人在三里屯溜达着，随意找了个酒吧。门口的霓虹灯很美，陈义刚用相机给自己和曾菲菲拍了张自拍照，因为光线不好，曾菲菲觉得照片里的他们像两只猩猩。她心里一直想着下午和钱小美在一起的场景，提不起兴致。

酒吧里有一个菲律宾乐队在演出，不少人下到舞池去跳舞，陈义刚很无奈地说他不会。曾菲菲去了趟洗手间，出来的时候，远远地便看到有一个时尚的美女正在和陈义刚搭讪。曾菲菲有意没有马上回到位置上去，而是在远处观望着，她甚至希望陈义刚能有点艳遇，这样自己能心安一些。那女人在陈义刚身边坐了一会儿就离开了，陈义刚四处张望了一阵，显然是在寻找曾菲菲。

曾菲菲刚想走过去，有两个男人到了她身边，其中一个问她：“美女，咱们一会儿一起去吃夜宵好不好？”

“谢谢，我去不了。”

“交个朋友呗！”

“还是算了吧……我结婚了。”

“是吗？看不出来，不过这年头，结不结婚也没什么区别，一样可以交朋友是吧？”

“真不行啊，我老公在那边呢！”她用手指着陈义刚的方向。这时，又有一个美女坐在了陈义刚身边，两个人有说有笑。

“你看，你老公不是也没闲着吗？呵呵。”

陈义刚表情木讷，看起来有点招架不住了，曾菲菲赶忙上前去给他解围。姑娘有点像应召女郎，看到目标客户的大奶来了，也就知难而退了。陈义刚被前后两个美女搞得有点紧张，汗都快下来了。曾菲菲觉得好笑，同时又有点心疼他，这样的男人别说拈花惹草，就是有女人暗送个秋波过来，也能被打击出心脏病来。

曾菲菲先后点了两杯威士忌，几乎是一饮而尽，之后问他：“老公，咱们从来没聊过你的情史，是不是除了我和你的前女友，你再没跟什么女人谈过恋爱了？”

陈义刚笑了笑，也学着曾菲菲的样子把手里的酒一饮而尽，不过那是小半瓶嘉士伯，他说：“你啥意思呀？是不是觉得我经验特少？”

他这话倒是提醒曾菲菲了，他们俩每次做爱的步骤简洁而清楚，几乎像复读机一样精确。

她笑着说：“我就随便一问，你想那么多干什么？”

陈义刚轻轻拍拍曾菲菲的肩膀，说：“老婆，女人我有你一个就够了。只是……”

“只是什么？”

“只是我总是觉得你更像情人，而不是老婆……”

“这话怎么讲？”

“就是说，我们的生活里没有柴米油盐……你和我想象中的老婆不一样，我看咱俩的家就跟旅馆似的……”

“你想象中的老婆是不是你妈那样？”

“嘿嘿，还真是。”

“那你后悔娶我吗？”问话的时候，曾菲菲暗自希望陈义刚对她能尖刻一些，似乎只有那样她的心里才可以轻松点。激怒了闺蜜之后，再被老公骂一顿，不如让暴风雨来得更猛烈些吧。

但是陈义刚这次并没有指责她什么，在被她撺掇着喝了几杯酒以后，竟然搂住曾菲菲说：“我知道你对我不满意，我的生意也没有像我认识你时说得那么好，我又不是特会哄人……我何德何能娶到你这样的女人……”

曾菲菲又要了一杯威士忌，很快喝掉它，她有点头昏脑胀了，说：“老公，瞧你说的，明明是我对不起你……”

“你哪儿对不起我了？”他问。

曾菲菲心里一紧，痛恨自己差点说错话，赶紧解释：“我是‘闲妻凉母’呀……家里的事一窍不通，又不温柔……你心里其实对我是特别不满意，我知道。”

“你可别这么说啊，不满意的地方是有的，我在逐渐适应中，咱不得磨合吗？你能嫁给我，我还是要珍惜。怎么说呢，我一直觉得咱俩能在一起，真是靠的缘分。别的还好，我最怕的就是你离家出走，以后能不能遇到什么事，好好谈，别跑了行吗？我拦你，你就拼命抵抗，闹不好会伤着你；不拦你，又不知道你能去哪儿？钱小美有了男朋友，你也不方便去她那儿了吧？办公室也不是能住人的地方呀，万一被保安强奸了怎么办，又不是没有这种事发生。唉……实在不知道该怎么办？”陈义刚说这些的时候很认真，曾菲菲不自觉地摸了摸他的脸。

午夜十二点，在酒吧正在上人的时候，曾菲菲和陈义刚出来了。他们在三里屯这条充满诱惑的街上漫步，这种灯红酒绿，曾菲菲婚前再熟悉不过了；而如今却觉得有些疏远了，仅一年的时间而已，这种改变到底是好是坏？她说不清楚。

两个人喝得微醺，在街上勾肩搭背，陈义刚突然问曾菲菲："你说如果咱俩婚前有个恋爱的过程，比如先用一年的时间相处，你还会嫁给我吗？"

曾菲菲心里酸酸的，说："也许不会吧，咱俩太不一样了……但我也说不清楚，是不是所有人结婚后，都会觉得对方和自己太不同了。你呢？"

"我……我没什么变化，还是会娶你，这就是男人和女人的不同，哈哈！男人不吃后悔药的。"

"那我也不变了吧，还嫁给你！"一阵冷风吹来，曾菲菲打了个冷战，又想起了钱小美，她说："要是没有钱小美，咱们两个肯定对面不相识呀，咱俩结婚纯属巧合……"

"是呀，一直没感谢她呢，回头办婚礼的时候让她做伴娘吧！"

"她不会理我了……"曾菲菲表情黯淡。

"怎么？"

"我们两个闹矛盾了……"

"你们这些女人呀……怎么跟孩子似的，这么一把年纪还闹别扭！"

"老公？"曾菲菲拉了拉陈义刚的手，问他："你会想到离开我吗？"

陈义刚说："怎么会想到这个问题？"

“你对我很多方面都不满意呀，我不会伺候人，说不定哪天你就想离开我了呢！”

“当然不会了，除非……”

“除非什么？”

“除非你给我戴了绿帽子，其他的事都过得去。”

曾菲菲伪装了一下情绪，说：“男人和女人的想法就是不一样。如果你觉得我不能带给你快乐，为了婚姻的稳定，我还支持你有个红颜知己呢！只要你做好安全措施，别惹出大事就行！”

“算了吧，你只是说说罢了，我还不知道吗？女人都是天生的小心眼。”

“我没开玩笑，老公，我真的同意你背着我和别的女人交往。不过我又担心你被别的女人给陷害了，万一以后有女人敲诈你，大胆告诉你老婆我，咱们一致对外，我帮你摆平，哈哈！”

陈义刚一脸无辜地看着曾菲菲说：“哪有老婆鼓励老公出轨的呢？你这个女人……”

“我是希望有人能弥补我的不足呀……”

梦醒时分

你没有办婚礼，
从来不戴婚戒，
就算你没有故意隐瞒你已婚的身份，
起码你也没有为这个婚姻感到骄傲和自豪！

男人又背叛了她，不过钱小美这一次没有流泪。也许在潜意识里，她知道这种事迟早要发生，丁麦不是早就说过会与别的女人保持肉体关系吗，但她宁可希望这别的女人是应召女郎也不要是曾菲菲。虽然很多名人都是以三人行的情爱方式生存着，比如酒井法子；比如当年的波伏娃与萨特；比如亨利与琼……

李银河老师也提出过“多边恋”的概念，但是她偏不能接受这个女人是曾菲菲。第一，她们是传说中的闺蜜。与其说不想让曾菲菲影响她与男人的关系，不如说不想让男人影响她们之间的关系；第二，她一直认为曾菲菲是妖精，男人通过对她身体的占有，难免会爱上她，关于性是性，灵魂是灵魂的理念，完全会因为她身体的美好而遭到颠覆；再说曾菲菲虽然有点“花瓶”，但还是个比较有文化的花瓶，聊起天来也不乏是个有趣的姑娘。

她们终于因为一个男人反目了，而这个男人还不知道。钱小美隔着厨房的玻璃，望着正在看足球比赛的丁麦，忽然觉得这个男人根本不值得她这么去维护。微波炉里爆米花声响起，加上电视机发出的声音，她觉得自己的生活表面上生动而嘈杂，似乎是一个不缺情感依托的人，而本质上却还是个寂寞的灵魂。

她把爆好的米花儿放在一个编织的果盘里拿给丁麦，丁则一把将她拉到身边，搂着她一起看球，钱小美无语地盯着屏幕发了一会儿呆，忽然说：“我累了，你早点回去吧……”

“回哪儿？我那儿的东西都打包了，今天打算住你这儿了呀……”丁麦的眼睛并没离开屏幕。

“我想一个人安静会儿，再说我最不爱看的节目就是足球……”

“你不是一直说喜欢足球吗？还喜欢小小罗。”

“那是因为你爱看球，我特意买了一本书学习了一下。但现在我觉得累了，不想勉强自己了。”

丁麦感觉到了气氛不对，他把电视声音关小，看着钱小美说：“怎么了？亲爱的。”

“我和曾菲菲闹翻了……我们本来是最好的朋友……”

“哦？怎么回事呀？”丁麦的表情没有任何异样。

“你猜猜？”钱小美平静地问。“我哪知道你们两个女人之间的事呀……”丁麦将目光转移开，心里有点忐忑。

“我真的累了，你回自己家看去吧……”钱小美的语气温和而坚定。

“那好吧……”丁麦无奈地拍了一下腿，站起身来：“那我回去了，你好好休息，明天给你电话……”

他拿起自己的提包向门外走去，钱小美送他到门口，临出门前他吻了一下她的嘴，和一般的情侣没什么两样。

走在街上，他琢磨着钱小美的态度，想她是不是察觉到了自己和曾菲菲的事，又觉得不像。他一边驾车，一边留意北京的街景，心里有了那么一点惆怅，他其实很喜欢这个多元化的城市，喜欢它的大气和包容，忽然要离开，真是舍不得。

除了这个城市之外，他也舍不得曾菲菲。他在来京之前一直在上海工作，自己在那里也有房产。上海姑娘整体上看比北京姑娘时尚、美丽，但是大多很瘦，像曾菲菲这样柔软无骨，长腿翘臀的身体组合未必那么好找。对于精神伴侣钱小美，她不可能离开电视台，两个人可能就要被这两个城市隔绝了。人有时候真是弱小，置于江湖之中，便身不由己。

几天后，丁麦当面向曾菲菲告别。《特色》杂志社在写字楼的顶层，为了避开大家的视线，他们在楼梯间相见。曾菲菲说钱小美知道了我们的事，丁麦有些意外，说钱小美并没有提起这个。两个人沉默了一会儿，丁麦不由分说地带曾菲菲到了停车场，十五分钟后到了丁麦的家。寓所的房间里堆着几个大盒子，能收拾的东西基本都已经放在盒子里了，明面上能看到的物件少之又少，看来丁麦撤退在即。

“如果你是单身多好，那样的话我就带你去上海。”丁麦捧着她的脸深情地说。

“要带走，也应该是钱小美呀……”

“她比你独立……”

曾菲菲想起钱小美，心里一阵难过：“我把自己的生活搞得一团糟，我本来有丈夫，因为你，背叛了家人，我最好的朋友也恨死我了，可我居然还在这里跟你约会！”

丁麦吻着她的脸说：“我了解钱小美的性格，她会原谅你的，放心吧。”

“你尽快和小美结婚好不好？”曾菲菲的表情很认真。

“可我们相处的时间还不够长呀，好多习性还不了解呢！”丁麦说。

“还要多了解呢？我和我老公认识不到三个月就结婚了，你们都相处大半年了吧？”

“那你幸福吗？”丁麦捏着她的下巴，微笑着发问。

“挺好呀，他是好男人，对我很专一。”曾菲菲垂下眼睛。

“专一就等于幸福了吗？他了解你吗？知道你的爱好吗？关心你每天都在想什么吗？”

“他忙，没有那么多时间……”

“忙，有时候是借口，你以为我不忙吗？时间都是挤出来的，我愿意挤出时间给你。过一会儿，下午两点，我本来要去公司开会的，但是为了你我要把会议推到五点，他行吗？”

“说这些干吗？有什么意义吗？现在错的是我，又不是他。你这样说好像他对不住我似的……”曾菲菲把身子转过去，背对着他。

“因为我想让你知道你没必要自责。如果你对你的婚姻很满意，就没有我们俩在一起的这一幕。如果你那么满意，为什么你们杂志社的人都不知道你结婚了？你没有办婚礼，从来不戴婚戒，就算你没有故意隐瞒你已婚的身份，起码你也没有为这个婚姻感到骄傲和自豪！这一切说明一个丈夫应该做的一切，他没有做到位！”

“别说了，你不了解我们的情况，我们婚结得仓促，没来得及办婚礼，等要办了就会通知所有人。”曾菲菲从丁麦的身边走开，坐到沙发上。丁麦也跟了过去，他蹲在她面前，捧起她的一对纤细的小腿，温柔地看着她：“你是我喜欢的女人，我不愿意看着你挣扎，有哲学家说过，人生应该找到快乐的时间，并延长它，找到不愉快的事，并缩短它的时间。你以为我们能活到几百岁？”

曾菲菲坐在那里，那种标签式的无辜表情又挂在脸上，丁麦最受不了的就是这个。他一把抱起她，把她放在几步之外的书桌上，手开始向她的一步裙内探索着。曾菲菲闭上眼睛，头向后仰着，暂时不去想其他的事了，反正丁麦要走了，一切就要结束了。

丁麦的汗一滴一滴地落在她身上，这一次的时间非常长，长得曾菲菲头脑已经开始迷乱，丁麦那边还劲头十足。丁麦似乎要把全部的力量用在眼前这个女人身上，他预想自己毕生可能要在漂泊中度过，还能不能有这样的女人相伴，是很难确定的。一丝伤感涌上心头，自己前半生欠的情债太多，后面的日子会是什么样？都说出来混，迟早要还的。

在最后一刻，他紧紧抱着曾菲菲，生怕她会消失一样，曾菲菲忽然想起什么，紧张而急促地说：“不行，不行，这样会出事的……”丁麦毅然决然地搂紧她，不让她将身体移开，低声说：“怕什么？不行你就离婚，我养得起你！”曾菲菲挣扎不过，终于丁麦到达了顶点，像野兽般嚎叫着，扑倒在曾菲菲身上，曾菲菲因承受不住重量，仰倒在桌面上。

“是巧合吗？我们第一次和最后一次都在桌子上……”曾菲菲苦笑着说。

“谁说这是最后一次了？”丁麦声音依然低而坚决。

离开丁麦的寓所之前，曾菲菲恳切地对他说：“和钱小美结婚吧，她很爱你，你会很幸福的，好不好……”

“你这个女人不会吃醋吗？”

“不会，我根本没资格吃她的醋，你知道的。”

丁麦笑了笑，把自己的手机递给她说，你看看，这是小美昨天夜里给我发的信息。

“佛曰，人生有八苦：生，老，病，死，爱别离，怨长久，求不得，放不下。

佛曰：命由己造，相由心生，世间万物皆是化相，心不动，万物皆不动，心不变，万物皆不变。

缘起即灭，缘生已空。”

曾菲菲说：“这是六世达赖的诗，片段。”

丁麦说：“谁的诗不重要，我想这应该是小美给我的离别赠言……”

十二月的北京似乎从来没有这么冷过，曾菲菲路过三里屯，经过不久前和陈义刚路过的那条街，心里空落落的。几年前有本小说名字起得真好，《动什么别动感情》，她觉得安排丁麦去上海的不是公司，而是上帝，是给她一个机会结束这不正常的欲望生活。一定要把丁麦当作一个临时的玩伴去忘记，可男女之间的交往，完全不动感情可能吗？

不知不觉中，她溜达到了钱小美家门口，还是希望能当面请求她的原谅。曾菲菲也不确定她在不在家，按了几下门铃，没人应答，她只好转身走了。她并不知道，钱小美在家，此刻正在门镜后面看着她离开，转而又跑到临街的窗户前，看着楼下曾菲菲落寞的背影远去，她心中滋味复杂。她们维持了五年的友谊，甚至比大学同学的情谊还深，如今却被丁麦放纵的情欲毁掉了。很可惜，但是让她一点都不怨恨这个女人却做不到。

曾菲菲带着做爱之后的动物感伤回到家，她觉得插曲已经播放完毕，是时候回归家庭了。多多少少有点愧疚的心理，她想好好对待老公陈义刚。翻弄了一下冰箱，里面有些鸡翅和可乐，还有菜心、粉丝。她在厨房里忙活了一阵，做了一个可乐鸡翅、一个蒜蓉菜心、一个蚂蚁上树，静静地等着陈义刚回家。

陈义刚一进门，便夸她的菜做得香，曾菲菲盛了米饭放在他眼前。

陈义刚并没有忙着吃饭，而是说："老婆，把眼睛闭上。"

"干吗呀？这么神秘。"曾菲菲语气温和地问他。

"闭上嘛……"

曾菲菲于是听了他的话，把眼睛闭上，奇怪的是，眼前又浮现出下午与丁麦销魂的场景，同时感觉自己的右手被陈义刚捧了起来，然后戴了个东西在无名指上。一睁眼，发现那是一只闪闪发光的钻戒，足有一克拉大。

"真漂亮……"这个礼物很意外，曾菲菲一时不知该说什么。

"这是我欠你的，结婚的时候就该买给你的。"

“谢谢你，老公……”曾菲菲轻轻地搂着他，想起钱小美曾经说过的话，“拥抱真是个复杂的东西，离得那么近，却看不见对方的表情。”她此刻的心情非常复杂，还是不要让陈义刚看到表情吧。

晚饭过后，陈义刚又在他的书房伏案工作，曾菲菲摆弄着刚刚得到的婚戒，有感动、有喜悦、有愧疚，她想第二天就戴着它招摇过市，一定会有人问她，那么她就告诉大家，她结婚了。但是指环的尺寸有点大，很容易丢，于是她先收纳在了首饰盒里。她笑陈义刚有时候真可爱，为了给她惊喜，私自去买这个，又不知道她手指的尺寸，改天还要费力地找地方加工一下。

第二天一早，曾菲菲到了杂志社才想起忘戴钻戒了，觉得也罢，这么贵的东西万一丢了怎么办？还是改了尺寸之后再戴吧。

2010 年转眼到了。

新年，陈义冰叫上陈义刚一起吃饭，陈义冰依然是带着毛那那赴宴。陈义刚心里挺高兴，因为几年来，陈义冰身边的女人像走马灯一样地换着，没想到一个普普通通的毛那那竟然能停留一年的时间。

他问哥哥是不是打算结婚了？

陈一冰一笑：“分分钟的事啦！要不天暖和了咱俩一起办？”

“行呀！”陈义刚应着。曾菲菲这几天胃口一直不太好，听到陈义冰想和毛那那结婚，更加不爽了，她实在不觉得这个脑子空空的空姐比钱小美强在哪里？

服务员端上来四喜丸子，曾菲菲一看到成团的肉，胃里就开始翻腾，她忍不住跳了起来，去了洗手间。因为没吃什么东西，干呕了一阵后，吐了几口水状物。

她靠在隔断门上做了几口深呼吸，拨开插销出了门，来到水池边。目光向身边一瞥，看到一个女子冷冷地看着她，意外的是，这个女子竟然是钱小美。

“小美……”曾菲菲露出笑容：“你怎么在这儿，太巧了！”

“是啊，也巧也不巧。这地方是我介绍给陈义冰的，他来了一次就喜欢上这儿了。”

曾菲菲过去抱住她：“小美，好久不见了，你……”

本来她想说你别生我气了，但想了想还是改成了“你还好吗？”

“一般般吧，今天约了裴彤吃饭，他被女人伤透了，我被男人伤透了，我们正好凑成一对……”

“明天你有事吗？我们一起坐坐好吗？我真的很想你。”

“再说吧！”钱小美依然很严肃，问她：“刚才那动静是你呀？是不是有孩子了？”

“啊！”曾菲菲被她问得一惊，她一想月经的确晚了一周了，以前也有过推迟，但是很少同时伴有恶心呀。

“你赶紧查查吧！”钱小美说完这话就出去了。曾菲菲独自呆了两秒，身上直冒冷汗，如果是怀孕了，就是上个月出的事，如果是上个月的事，很有可能是丁麦离开北京前的那一次，这是要她的命！

她心情忐忑地回到餐桌旁，东张西望了一番，发现钱小美和裴彤坐在了靠窗的那一排位子上。钱小美并没有往这边看，不知道是没看到还是有意回避。陈义冰显然也没有发现自己的前女友，几个人吃完饭，便分头回家了。

第二天，曾菲菲买了试纸，测试结果让她顷刻傻掉了。她本来已经要努力忘掉丁麦了，虽然这个男人在感官上曾经带给了她很大的愉悦。陈义刚几乎每一次都会有防护措施，这个孩子基本没有可能是他的。曾菲菲左想右想，没有什么人可以商量此事，最后还是给钱小美打了电话，约她一起喝茶。钱小美这次没有拒绝她，但是不想喝茶，让她直接到家里来。

曾菲菲先是跟她胡乱聊了一些话题，聪明的钱小美一看就觉得她有事想说，甚至直觉上认为和她们昨天在卫生间说的话题有关。

她问："你测了吗？"

"什么？"曾菲菲不知道是不是该马上接茬。

"别装了，是不是怀孕了？"钱小美干脆直接问她。

曾菲菲点了点头。"还不找你老公报喜去？"钱小美冷笑着，没想到曾菲菲竟哭了起来。

"你这是干吗？别跟我说是丁麦的……"钱小美的语速慢了些，也温和了些。

曾菲菲一下子用双手捂住了脸，说："小美，对不起，我真的很害怕，除了你，我不知道还能信任谁。我一时没有抵抗住诱惑，但是我也从来没想过要影响你们之间的关系，我更不想失去你这么一个好朋友。"

其实，在丁麦离开北京这一个多月的时间里，钱小美已经把这件事情想清楚了。丁麦并没有和她提过分手，当然他们也从来没有说过要牵手，如果说他们的关系走到了尽头，其实和曾菲菲的关系也不大。丁麦是个三不男人，他也不会想娶曾菲菲，才不会去惹这个麻烦，无非是简单的情欲而已。

现在看来，倒是曾菲菲的损失更大些，当时她因为和赵克凡分手，意气用事，迅速结了婚，事先没有考虑到婚姻是现实的，可能没有她需要的那些浪漫。任何寂寞的少妇遇上了丁麦，都难逃这个桃花劫，更何况多情种子曾菲菲了。现在想起来丁麦也够过分的，玩就玩吧，居然给人家搞出事来了。

“哭有什么用呢？你怎么总是这么弱。”钱小美说，虽然语气强硬，却少了些距离感。

“我本来已经想踏踏实实地和陈义刚过平凡的婚姻生活了，就当之前的事是淘气了一次，没想到会出这样的事……如果被陈义刚发现？他是很传统的人，肯定接受不了，我实在不想……”

“你确定不想和丁麦继续？生下这个孩子？”

“当然不想！”

“那就做掉呗，一点都不难。”

“可是我做完不能回家吧，会被老公发现，也不能回我父母家，解释不清楚。”

“你一有麻烦事就找我是吧？”钱小美笑着说。

“如果你不愿意，我再想别的办法好了……”曾菲菲说：“我还是希望我们能和好如初，即使你这次不帮我，我也这样想。”

钱小美沉默着了一阵儿，这件事她早已颜面扫地了，但面对曾经最好的朋友，她又不忍心见死不救。

曾菲菲忐忑地坐了一阵儿，觉得时间也不早了，于是起身准备告辞。

钱小美终于发话了："你打算什么时候做？做完了住在我这儿几天吧。"

曾菲菲破涕为笑，扑过来抱住她说："我的小美最好了，不会见死不救的。我要先用十天左右的时间把这个月的稿子做好，然后就跟我老公说出差，去做手术，之后住在你这里，我想住个十天身体就可以恢复了，亲爱的。"

有些事，计划没有变化快。

丁麦并没有想马上忘掉曾菲菲，他们广告公司代理的德国洁具和世博会搭上了点关系，委托他们在上海办一个媒体见面会，他觉得机会来了。给《特色》杂志社发了邀请函，点名要曾菲菲参加。曾菲菲一看行程，只有两天，觉得不会耽误事，也就同意了。

到了虹桥机场，她本来以为要自己去酒店。结果一到达出口，就被冲过来的丁麦抱了起来，吓了她一大跳。丁麦戴了墨镜，她差点认不出来了。

"宝贝！想死我了。"好在声音没变，还听得出。曾菲菲拍着他的肩让他把自己放下来。"怎么了？见到我不高兴？"丁麦捏了捏她的鼻子。

"你在上海过得挺好吧？"曾菲菲所答非所问，她在想要不要告诉他自己怀孕的事。

"挺好，就是见不到你……"丁麦说着又搂住她。

曾菲菲又把他推开："别这样，被人看到了多不好。"

"啊，你在上海还有眼线呢？"丁麦乐着。

他其实只是随意一说，两个人都没有料到，不远处真的有人把他们的举动看在眼里，那个人就是小空姐毛那那。毛那那飞完了今天最后一班，收工了。无意中看到了曾菲菲，还没来得及打招呼，就看到一个很帅的男人将她抱起来。她揉了揉自己的眼睛，确认那女人是曾菲菲没错，一颗八卦的心被激荡起来，又苦于没有求解的渠道。

丁麦把曾菲菲送到酒店，就急急忙忙走了。他说这个酒会的执行经理经验还不够丰富，他要回去盯一下。另外，他知道曾菲菲喜欢玩儿，晚上在 Babyface 定了大卡座，约了一些朋友一起 Happy。走之前他亲热地吻了曾菲菲的脸。

晚上的酒会没有太多亮点，曾菲菲挨到九点就回了酒店。丁麦十点打来电话，说出来玩吧，我在酒店门口等你，曾菲菲没怎么打扮就下去了。丁麦已经将正装换成了休闲装，他穿什么都很帅。曾菲菲一上车就问他最近与钱小美有没有联系，他说偶尔发发短信。曾菲菲说你们就这么断了吗？她是好姑娘，过这村没这店了，丁麦只说知道的。还没五分钟，他们就到了酒吧。

上到 2 层，丁麦预定的大卡座里已经有了十余人。丁麦说，每次办聚会就会给几个朋友发个消息，最后朋友又带朋友来，有的人自己都不认识。侍者拿了两瓶皇家礼炮和五瓶威士忌过来，随后又拿来了很多绿茶。有人自己动手，将绿茶和威士忌混合倒入一个大玻璃瓶子里。

卡座里美女众多，丁麦几乎没怎么招呼曾菲菲，因为总有姑娘来找他说话，而且比起不施粉黛的曾菲菲，那些精心打扮的姑娘要漂亮许多。曾菲菲从小到大从来没像今天这么尴尬过，一个男人曾经把她的脚捧着手心里亲吻，而现在却在她面前左右逢源，似乎她根本不存在一样。

在这个陌生的城市里，曾菲菲像一只丑小鸭一样坐在角落里，好在一个很帅的北京男模很有礼貌地和她聊天，提议玩骰子，曾菲菲心猿意马，一边玩，一边看着丁麦的一举一动。骰子玩得一塌糊涂，她喝了不少酒，那男模也不忍心再和她玩这个了。

没过多久，曾菲菲就一个人默默地坐在沙发上，光鲜靓丽的人们在她眼前走马灯一样的移动着。丁麦被众多美女拉扯着无法脱身，中途只过来和她说过一句话："没想到今天能来这么多人，都不知道他们怎么得到的消息？"之后，又被人叫走了，不知道是嫉妒还是伤感，曾菲菲的眼泪都快下来了。

当曾菲菲以为自己就要老死在这个角落里的时候，解救她的人终于来了。她简直不敢相信自己的眼睛，她看到赵克凡从嘈杂的人群中走过来，和丁麦打招呼，两个人还挺亲热。寒暄了一阵，他也发现了角落里的曾菲菲，曾菲菲的眼泪终于下来了。

他走过来，问她："你怎么在这儿？"

曾菲菲无力地说："带我走……"

音乐声太大，赵克凡听不清她的声音，把耳朵凑了过来，她提高了一些音量："带我……离开这里。"

赵克凡的眼睛里充满了迷惑，但他还是听了曾菲菲的话，拉着她的手把她拽了起来。曾菲菲喝得有点高，身子摇摇晃晃的。

酒店离酒吧很近，赵克凡送曾菲菲进了房间，之后问她："你怎么会在那儿？"

“你呢？你怎么会在那儿？”她反问赵克凡。

“我们两个公司是合作伙伴呀，那个丁麦和我们老板关系不错，他今天说办个 Party，让我们老板过去玩，我们老板哪有那个空，让我替她露个面。你是怎么回事？”

曾菲菲因为心里憋屈，又喝了酒，把事情的前因后果和他说了。赵克凡听完使劲摇了摇头，说：“你惹谁不好惹他？他在风月场上很出名的……”

曾菲菲漠然地看着他，似乎对此无动于衷，她今天见识到丁麦是多么受女人欢迎，赵克凡的话已经不会让她感到意外了。

“还有，你这肚子怎么办？要不然多留几天在上海吧，我陪你去处理掉……”

曾菲菲摇头：“不想事情复杂化，牵扯再多的人了，我已经安排好了。”

赵克凡说：“你这样我太不放心了。刚分开一年不到，怎么会出这样的乱子……”

“现在才管我？早干什么去了？”

随后，他们两个沉默了一会儿，曾菲菲说：“其实，我这次来还想替钱小美来问问他，他们的关系可不可以继续？钱小美是我最好的朋友，我希望她能和所爱的男人结婚，经过刚才酒吧那一段时间，现在我连这个也不想问了。”

正说着，手机响了，她拿过来一看是丁麦，便没有去接，手机响了一阵儿停止了，过一会儿又响了起来，如此往复了几次，手机又传来了短信的声音，曾菲菲拿来一看：“菲菲，你去哪了？我忽然发现你不在了，是我发起的派对，所以不好撤，等完事了，我去酒店找你。”曾菲菲把手机扔到一边。

赵克凡坐在了她身边，欲言又止，思想斗争了一阵儿，还是说了：“他怎么会和你的好朋友结婚呢？他还没离婚呢！”

“你说什么？”这个消息足以让曾菲菲感到震惊。

赵克凡说：“他的情况我还是了解一些的，因为他在广告圈子里还挺有名，他不过去北京工作了两年，之前在上海结了婚，起码有八九年了吧，不过他和他老婆是各过各的，互不打扰，也挺有意思的。”

曾菲菲第一次真正地后悔和丁麦的一切交往，为了这个男人，她和最好的朋友钱小美几乎反目了，她一直觉得自己干扰了她的爱情，或许还有她的婚姻，而小美爱的这个男人居然是个隐婚者，伪单身。可怜她们姐妹俩都对他动过感情。曾菲菲不想再说什么了，她叹了口气，再缓缓地摇了摇头。

不知道过了多久，门铃响了。赵克凡蹑手蹑脚地过去看门镜，无声地告诉曾菲菲是丁麦，曾菲菲摆摆手让他不要开门。

赵克凡回到她身边小声说：“就这样不见了？总得告诉他你怀孕的事吧。”

“告诉他干吗？事情不是更麻烦了吗？又不想和他怎么样了。”

待听到门外的脚步声远去。赵克凡说：“你真是小傻子，我早就说过，情感上有困惑不如来找我，我已经伤害不了你了，你偏找别人。”

曾菲菲说：“现在你说话的样子就像哥哥一样……”

“瞧你说的，我都不敢对你有非分之想了……”

这个晚上恰逢周末，在北京，陈义冰没有毛那那陪伴觉得闷得慌，硬拉着陈义刚一起去泡夜店，这个夜店最早是钱小美带他来的，因为有大胆地交友游戏而闻名。到了那里，陈义刚才知道是交友酒吧，每个人的眼睛里都像野兽一般冒着绿光，不分男女。不一会儿，几个漂亮女人很大方地来和他们哥儿俩搭讪，陈义冰游刃有余地应付着，陈义刚却有点不知所措，他心里很想自己的老婆曾菲菲。自打他们结婚以来，曾菲菲就没怎么出过差，冷不丁一走，他还真有点不适应，虽然即使曾菲菲在家里，他们也是各忙各的，没太多交流。

夜店里的这些女人大多化了浓妆，在陈义刚眼里却没有哪个比曾菲菲好看的。对他来说，泡夜店绝对是折磨，他无聊地四处张望，忽然看到了一个熟悉的面孔，钱小美。这一段时间，钱小美是这个酒吧的常客，她家离这儿不远，而且她经常有无边的寂寞，一旦受不了了，就到这里来喝酒。

陈义刚拉着陈义冰的衣襟指向钱小美，陈义冰赶紧起身走过去，陈义刚也跟了过去。钱小美显然已经喝了不少了，看到他们两个哈哈大笑，说：“你们怎么在这儿?”陈义冰有点心疼，拉着她的手说要送她回家，但是钱小美怎么都不肯，而且她总是努力要把陈义冰推开。

陈义冰琢磨了一下，把陈义刚拉到一边，对他说：“她一人在这儿我不放心，但是她看到我更心烦，你陪陪她行吗？等她玩够了送她回家，哥哥我求你这一回，别驳我面子。”

陈义刚虽然不想在酒吧久留，但还是答应了陈义冰。因为钱小美是曾菲菲的好朋友，也是他们的介绍人，他也不忍心不管她。

钱小美可能因为最近工作太劳累，人瘦了一些，也好看了。她倒是没有轰陈义刚，还很有兴致地拉着他一起玩骰子，陈义刚没想到自己居然和妻子跨时空玩着同一种游戏，而且同样点儿背，没多会儿，就被灌了一肚子酒。

陈义冰坐在不远处观望着，眼见两个人都喝了不少，又上前说要送钱小美回家，结果再次被钱小美推到一边去了，于是又拜托陈义刚替他把钱小美送回家，他自己先离开了。陈义刚头也有点晕了，但还没到醉的地步，他把钱小美架上出租车，却问不出她到底住在哪儿？没办法，只有先把她带回家，他想如果曾菲菲在，也会把她带回家的。

钱小美一进门就倒在了地上，陈义刚去拉她，结果脚下一滑也摔倒了。陈义刚晕乎乎地站起来，摇摇晃晃地去厨房给自己和钱小美一人沏了一杯茶。钱小美喝过之后，也没觉得好多少，挣扎着爬了起来，三步两步地跑到沙发边上，瘫倒在了上面。陈义刚也跟过去，口齿不太伶俐地说："小美，别把我泡酒吧的事情告诉菲菲啊，她该不高兴了。"

钱小美心头涌起一种说不出的滋味，大概是羡慕嫉妒恨吧，她和曾菲菲是好朋友，但好像所有的男人都会呵护曾菲菲，而在她钱小美面前全变成了冷血动物。

加上此时酒精已经让她意识混乱，她竟然冷笑了起来："你真是个呆子，曾菲菲背着你可没闲着。"

"你说什么？"

“呵呵，我去年有个男朋友，魂都被你老婆勾走了，真是妖孽呀，哈哈！”

陈义刚坐起身来摇着衣衫不整的钱小美：“你到底是什么意思？”

钱小美甩掉他的手，说：“你觉得呢，不正当男女关系呀……你自己去问她吧……”

曾菲菲在上海的两天里再也没有见丁麦，虽然丁麦发了几条短信。丁麦是玩惯了游戏的人，那个晚上在酒吧，他本来想激发曾菲菲的嫉妒心，然后再与她整夜销魂的，没想到一不留神，把曾菲菲气走了。由于上海总部摊子大，事情多，丁麦第二天还要忙一些事，就没有去机场找离开上海的曾菲菲。

倒是赵克凡带着曾菲菲去吃了上海菜，陪她闲逛了一天，晚上把她送到机场。曾菲菲脑子里已经没有空闲想他们俩从前的事了，她的胃口不大好，身体也感到虚弱，觉得离开北京的自己孤苦伶仃的，只想赶紧回家。在机场送别的时候，赵克凡看到曾菲菲远去的背影，有点伤感，感慨过去的岁月一去不复返了。

飞机一落地，曾菲菲终于回到正常生活中来了。陈义刚没有像答应好的那样来接她，她坐机场大巴到了东直门，再转车回家。

家里很乱，显然这两天没有人收拾屋子，她没休息就开始拾掇各处的脏衣服，扔进滚筒洗衣机去洗，偶然在沙发上看到了一根镶嵌着黑色水晶的发卡，这是她几年前去韩国出差送给钱小美的，怎么会在这儿？因为好奇，她给钱小美打了电话。

钱小美正在家里为那天酒后的胡言乱语自责，接到曾菲菲的电话没有前段时间那般生硬和严肃了。曾菲菲说在家里看到了她的发卡，钱小美基本照实讲了，说在酒吧碰到陈义刚兄弟俩，喝多了，被陈义刚带回了家，还说陈义刚怕曾菲菲知道他泡夜店的事，嘱咐她别说。曾菲菲说明白了，就当不知道他去过酒吧好了。

陈义刚一整天在办公室里闷闷不乐，他清楚地记着钱小美的话，自己的妻子是不是真的红杏出墙了呢？结婚的时候，他就担心过这个事。虽然第二天一早，钱小美否认了自己的话，说是开玩笑，但是酒后吐真言的可能性还是很大的。对这件事的纠结让他没有按约定去接机，他躲在办公室里，一遍又一遍地回忆着这一年的婚姻生活，时有摩擦，像两个不同世界的人生活在一起，他甚至怀疑自己这个婚是不是结错了？

晚上，曾菲菲忍住胃口不好，做了一桌晚餐，陈义刚却完全没有笑脸。他没有向曾菲菲求证钱小美的话，只是冷冷地问她这次出差的行程是什么？参会的人都是谁等等，从曾菲菲的回答中他倒是没看出什么破绽。

曾菲菲从前就觉得陈义刚有时很奇怪，这次从上海回来发现他更加奇怪了，越发的生硬和不近人情。曾菲菲心里一阵阵失望，她本来已经准备好认真对待婚姻了，丈夫却变恶劣了。

重回罗马

喷泉边上聚集了很多人，
有的人在说笑，
有的人扔了硬币之后许愿。
曾菲菲和陈义刚两个人并排站在一起，
这次行程中，他们第一次手拉着手。

曾菲菲的堕胎计划进行得很顺利，她再次以出差为名，在钱小美家躲了十一天，期间钱小美对她照顾得很精心，每天为她准备一日三餐，很令她感动。

考虑再三，曾菲菲把丁麦已婚的事告诉了钱小美，开始钱小美挺吃惊，但是很快又恢复了常态。她说她早已接受了这个男人和自己无缘的事实了，只是没想到他竟然这么无耻，居然是伪单身，还会在网上相亲！两个女人第一次没有芥蒂地来谈丁麦，似乎他是两个人共同的一段插曲，而且她们都是受害者，不同的是曾菲菲伤了身，钱小美伤了心。

当曾菲菲再度回到家的时候，陈义刚依然是冷冷的。曾菲菲不知道哪里出了问题，找他谈，他也说不出所以然。曾菲菲因为休息了几天，拖了些选题，要赶紧补上，就没太搭理他。

正愁两性话题没的做，谢灵给她提了个醒，说记得四个月前你拍的那个明星孙洋吗？她都怀孕了半年了，也就是说拍片子的时候已经怀上了，还有几天前拍的那个魏冰，也被曝光怀孕了。曾菲菲觉得新奇，还以为她们都是单身呢！谢灵说，现在艺人流行隐婚呀，不知道什么时候消失几个月，就能生个孩子出来。

这话还没说几天，阿 Sa 和郑中基离婚的消息又传开了，这两个人们眼中的单身贵族已经结婚四年了，要不是因为办离婚还不为人知呢。曾菲菲觉得这个话题很可做，自己也一直没公布婚讯，算不算隐婚呢？她先从刘德华到黎明到郑中基等众多明星的八卦入手，再讲到普通人因各种原因而隐婚的现象，整个选题生动而有趣，还获得了那个月的特色选题奖。

之后丁麦联络过她几次，曾菲菲都淡淡地回绝了，她始终没有说自己意外怀孕的事，因为想让这个男人尽快退出自己的视线，她希望自己的生活从此趋于正常。但陈义刚却有点不大对劲了，时不时地对她阴阳怪气的。有一天晚上，她写稿之余，忽然想起陈义刚在新浪的博客，不知道更新了没有。“有知识没文化”，这个名字很容易搜索到。曾菲菲看到了几篇新的博客。

2009 年 12 月 20 日

说起来有点亏心，我忘了我们的结婚纪念日。不知不觉我们已经结婚一年了，忽然觉得挺亏欠她的，求婚的时候说要给她买钻戒，结婚一年了还没有兑现，为了给她惊喜，我去珠宝店给她买了一个一克拉钻戒，五万块，我是使劲狠了狠心的，因为她是美女，我还是该多付出点吧，否则她会觉得嫁给我不值吧。但是，还是应该带着她来选，因为圈儿买大了，她暂时戴不了，可惜了。

2010年1月19日

真不该娶美女为妻。最近总被一些事困扰，先是她的一个闺蜜告诉我，我老婆和她的男朋友有一腿，我将信将疑，心情总是不愉快。接下来没几天，我哥哥的女友又神神秘秘地告诉我，她看到我老婆在上海和一个帅男人非常亲密。其实我婚前就隐隐觉得不安过，她既年轻又漂亮，怎么可能没有几段恋爱经历。我开始迷惑了，我既不富有，又不英俊，她当初那么痛快地嫁给我是为了什么？

2010年2月5日

她又出差了，一去就小半个月，这次倒不是上海，是广州，但愿广州没有什么男人在那里等她吧。不知道为什么，我现在总觉得她的一举一动很可疑，但我又努力告诉自己是神经过敏了，见到她要尽量像什么事都没有一样。她出轨的事情，不知道该不该说破？这对于男人来讲实在太没面子了。我也想过离婚的事，我想我们没认识多久就结婚了，婚后冲突不断，这说明我们本来就不适合生活在一起吧。但，我也不知道是不是真的爱上了她，想到离婚，我又非常舍不得她。

2010年3月10日

总想和她开诚布公地谈谈，却不知道从何说起，这样下去也不是事呀……

看完博客，曾菲菲出了一身冷汗。终于找出了陈义刚一个月来行为奇怪的原因，本来结束的情事还是被丈夫发现了，这既怪不得钱小美，也怪不得毛那那。她坐在自己的书桌前左思右想了半个小时，决定与其这么压抑着，不如主动向陈义刚说明一切。

她走到书房，对着陈义刚的后背说："老公，我们谈谈好吗？"

"我在忙……"

"那我在卧室等你，等你忙完，我们谈。"

陈义刚心里有点怕，他觉得早晚要谈出轨这件事，但又非常怕谈这个，不知道会产生什么样的结果，会不会很激烈，他纠结。

陈义刚一直耗到十一点才去洗澡，洗完澡上了床。曾菲菲开始是背对着他，虽然盖着被子，依然有动人的曲线。陈义刚想，也许有不止一个男人在策反她，可能这个美丽的身体本来就不该是他的，自己只是借用一段时间而已，想到这儿他又伤感又气恼。

曾菲菲知道他在身边，坐起来靠在床头上，陈义刚与她并排坐在一起。

两人沉默了片刻，还是曾菲菲先开口了。"老公，钱小美说的事是真的，不过已经结束了，我知道你很难接受这种事，如果你心里过不去，我……我同意离婚……"

陈义刚继续沉默着，屋子里安静得可怕，大概僵持了两分钟，陈义刚低声说：“你觉得婚后我哪里做得不对吗？”

曾菲菲摇摇头：“说不清楚，我们总是各忙各的，我不知道你想什么。刚结婚的时候，我认为你会给我带来安全感，但是后来虽然不缺安全感，但又觉得你和我想象中不一样，你似乎毫不欣赏我，不爱我……但是渐渐地，我又觉得你是我最亲的人了……”

“我现在不知道到底是你错了，还是我错了……”

“我错了，可能是闪婚也错了吧……没有互相了解的过程……”

“我想如果我们当初把结婚的消息公之于众，办个婚礼，走了一切该走的程序，是不是有助于适应已婚的角色……”

“我想问……你能原谅我吗？”

“不能……”

转眼到了四月初，钱小美再过一个月就要去巴黎了，会呆到明年八月。她约曾菲菲见面，两个人再次去了五道口，一起照大头贴。拍完照，坐在咖啡馆，曾菲菲告诉她，自己可能要和陈义刚离婚了。

钱小美震惊了，担心与那次自己酒后失言有关？曾菲菲笑了一下，既然是闪婚，闪离的概率也会很大吧。这样也好，很多人都不知道我们结过婚，这一年多就当做了一场梦吧。

“你真的愿意离吗？”钱小美问。

“说心里话，我不愿意。”曾菲菲叹了一口气。

她看了一眼窗外，说：“你记得欧·亨利的小说《警察与赞美诗》吗？一个小偷，为了能返回监狱，做了些坏事，但没有被发现，后来他听到教堂里的歌声，终于感动了，想做一个好人，不再犯罪，警察却抓了他，硬要把他送进监狱里去。”

“我现在就有类似的感觉。有一段时间，我对自己的婚姻特别不满意，觉得丈夫并没有像以前的男朋友那样呵护我，讨我欢心，好像在婚姻里得不到任何精神上的满足。我甚至一直懒得和别人说我结婚了，就那么得过且过，后来又遇到丁麦，很难拒绝来自他的诱惑。

“苗豆豆去加拿大之前，和我聊过一次，她说女人也许有过很多风花雪月，但是那些男人并没有娶你，而真正和你生活在一起的是现在的老公。无论怎样，一个愿意与你结婚的男人是准备好了承担这个女人一生的，是有责任感的表现，应该珍惜他。她说的是她的老公，但是我想到了陈义刚。

“我无意中看到过他的博客，其实他心里很重视我，几乎每一篇或多或少都会提到‘我的老婆’，很多已婚男人做不到这样的。他不太会表达，我曾经觉得这是没情趣，但现在想来没情趣不一定就不是好男人，陈义刚是好男人，我领悟到的时候有点晚了。”

钱小美轻轻地摸了一下曾菲菲的手，说：“对不起，那一天我喝多了，正好在酒吧碰到陈义刚，当时我还在为你和丁麦的事耿耿于怀，一时没控制住情绪，就把事情告诉他了。第二天一早，他问我是不是真的，我就说我是羡慕你们太幸福了，瞎编的。也许他还是信了前一天的话，我真是太可恨了……”

“不是你的错，亲爱的，你又没有瞎编……”曾菲菲摇摇头。

“你父母知道你们要离婚吗？”

“和他们说了。我妈有一天还私自给陈义刚打电话来着，说她一直反对女儿嫁给他，他不会疼女人，对我不好，耽误了我的青春，离婚后，我更难找到可以结婚的人了云云。凭我对他的了解，我觉得他可能会顶我妈两句，但是他没有，也没有对我妈讲我们为什么要离婚。到现在，我妈还以为是他的原因呢。”

钱小美手里摆弄着刚出炉的大头贴，心中滋味复杂。

曾菲菲说：“行了，别操心我了。你去巴黎要开开心心的，没准还能有一段异国恋情呢！单身也好呀，可以一直谈恋爱……”

“对了，你上次去欧洲的时候，说罗马有个许愿泉据说特别灵是吗？”

“哦，据说是。但要先许下‘重回罗马’这个愿望，再许其他，我还在那儿许了个愿，希望婚姻幸福呢！可惜刚过一年就要离了，可笑吧。”

“那你先重回罗马吧，愿望就能实现了。”

“算了吧，你要是信就去试试，没准能嫁一意大利帅哥呢！”

“不指望，我既没有恋爱谈，也嫁不出去了，任凭岁月蹉跎吧……”

“瞧你说的！”曾菲菲想到两个人一年间发生的这些事，接下来又要分离一年，鼻子竟然有点酸酸的。

钱小美也依依不舍的，毕竟在巴黎没朋友。两人在咖啡馆坐到黄昏，因为钱小美晚上还要加班审片子才分手。

陈义刚把自己的东西搬到了父母离开前的那套房子中，他和曾菲菲商定，先试离婚三个月，如果没什么问题就去办手续。临走前曾菲菲硬是把那个一克拉钻戒指还给了他，说等再结婚就不用买了，反正是全新的，她还没戴过。

搬家后，陈义刚把所有精力都投入到了工作中，有时本该销售人员出的差，他都亲自去了。不忙的时候，他会在电脑上看自己给曾菲菲拍的照片， 看着她笑的样子，心中五味杂陈。向她求婚的时候，自己以为是为了摆脱陈珂的阴影，现在想来，并非如此，其实在后海他第一眼看见她，就爱上了。他的脑子里像放幻灯片那样回忆过去一年多的生活，从夜爬香山开始，到快速结婚，两个人吵嘴，曾菲菲离家出走……一幕幕的场景真切的就像昨天的事，陈义刚看着酒店的天花板长长地叹了口气。

六月，天气还不太热，陈义刚的车去年就不出冷风了，趁着还没到盛夏，赶紧去修理厂处理。等待的过程总是无聊至极，待他昏昏欲睡的时候，手机响了，是一个陌生的号码，他犹豫了一下，还是接听了。对方是一个温柔的女声：“请问是陈先生吗？您的一个朋友为您和妻子报了一个意大利深度旅行团，需要你们过来办一下手续。”陈义刚一听就认定是无聊的促销，话都没说就挂了。

没过多会儿，那个号码又打来电话，他一直不接，没想到对方十分执著，接着打。

他愤怒地按下接听键，大声说到：“怎么回事呀你们？我没空旅什么游！”

那女人连忙说：“您是不是有个朋友叫钱小美呀？”

“是呀，有。”

“是这样的，我是钱小美的朋友，在旅行社工作。她上个月去欧洲工作了，走之前跟我这儿预定了两个名额，说要去意大利，钱都交了。

当时五月份是旺季，团早就满了，现在六月底的团有名额了，我赶紧联络你们，本来是联系的您太太，她让我问您。”

“哦，是这样呀，不过我不太明白，干吗让我们去意大利？钱小美事先也没告诉过我。”

“这我就不清楚了，反正她让我务必办好这事儿，她暂时回不了北京，钱我也没法还给她，您千万别拒绝呀！”

这一次旅行团的人不多，只有二十多个人。而且，陈义刚和曾菲菲还有机会坐了当地的火车，别有风味。与上一次相似的是，这个团又有一个独自随团的女人喜欢和曾菲菲聊天，她大概有50岁上下，五官非常清晰，她这一路的论调是“男人没一个好东西”。

她说自己20出头刚参加工作时，领导就觊觎她的美色，总要占她便宜，搞得她得了抑郁症。后来结婚了，半年就离了，具体什么原因不知道，只是不停地说男人没一个好东西。曾菲菲和陈义刚都很敏感“离婚”这个词，因为过了六月，他们试离婚就期满了，这次旅行恐怕是他们最后一次相聚了。

一路上，两个人看起来有点相敬如宾的意味，陈义刚帮曾菲菲拿东西，买水，比从前多了些眼力价。曾菲菲对他说话的时候也尽量温和。抑郁大姐时不时地对曾菲菲说：“你这个老公看起来还不错，现在像你们这样，看起来很正常的年轻夫妇实在是不多了。”曾菲菲只应着，不知所云。

当他们再一次来到罗马的许愿泉的时候，已近黄昏，雪白的雕塑被西去的日光镶了金边。除了温度高了些，环境与上一次的感觉没什么不同。又逢周末，除了那个冰激凌店，没有什么商家是营业的。陈义刚给曾菲菲买了一个巧克力冰激凌，自己吃香草的，也和去年一个样。

曾菲菲心里想，如果能把这一年多的事情全部抹去，重新来过就好了。喷泉边上聚集了很多人，有的人在说笑，有的人扔了硬币之后许愿。曾菲菲和陈义刚两个人并排站在一起，这次行程中，他们第一次手拉着手。

“明天我们就要回北京了……”曾菲菲微笑着说。

“是呀，时间过得真快……”陈义刚点了点头。

“你很快就会忘了我吧？”曾菲菲说着，鼻子一酸，掉了一行泪。

陈义刚的心一软，也落下泪来，他赶紧用手背擦去，说：“不会忘，哪有那么容易？”说完，陈义刚从背包里取出一个首饰盒，拿出了曾菲菲退回的钻戒，戒指的圈被改小了，他把它戴在了曾菲菲的无名指上，说：“夫妻一场，这个戒指本来就该给你的。”

曾菲菲忍耐了一会儿，最终还是将头埋在了他的胸膛里，抽泣起来。这一举动让陈义刚有点不知所措，他的双臂悬在身边，犹豫了一下，最后还是抱住了她。

喷泉周围的水雾将他们笼罩着，清爽而温和，陈义刚说：“让我再亲亲你吧……”他自己都不知道为什么会这样说，也许因为周围都是陌生人吧，不必拘束了。

曾菲菲抬起头，满面泪花，楚楚动人。陈义刚低下头去，一下一下地吻着她的脸，又去吻她的唇，两个人的舌头很快纠缠在一起，巧克力与香草的混合，完全是一道动人的美味……

一个貌似当地人的游客带头鼓起了掌，随之其他人也鼓起了掌，还有人用英语祝他们新婚快乐。曾菲菲和陈义刚听到了动静，赶紧松了手，不好意思地低下了头。有一个金发碧眼的大哥还特意过来拍了拍陈义刚的肩膀，说他是幸运的家伙。陈义刚向对方笑着，腼腆地拉着曾菲菲走到许愿泉人比较少的一侧，导游正在那里抽着烟，看到他们来了，笑着说："本来没这个景点的，社里打了招呼添加的，因为离角斗场不远，司机倒是没什么意见，呵呵！"说完就去找垃圾箱扔烟头了。

两个人安静了一会儿，刚才的灰暗情绪暂时没了。

陈义刚问她："去年你许了什么愿望？"

"没什么意义了，别说了吧……"

"说说看。"

"我的愿望是婚姻美满幸福，很俗套的。"

"我也是……"

"你身上还有硬币吗？"曾菲菲问他。

陈义刚摸了摸裤兜，拿出了两枚，递给曾菲菲。

曾菲菲拿着硬币来到喷泉边上，扔了一枚进去，许下愿望重回罗马，再扔了一枚进去，默念："希望我们能将不愉快的过去埋入坟墓，明天一切都能好起来。"许完愿望，她回到陈义刚的身边。

陈义刚问她："刚才许的什么愿呢？"

"重回罗马。"

"第二个愿望呢？"

"不告诉你，说了就不灵了……"

钱小美已经到巴黎一个多月了，她事先没有想到，在这里是不需要加班的。在法国的周末，商场都是停业的，所以勤劳的中国朋友们，即使想要在周末继续工作，在当地都找不到能够配合的部门与人员。钱小美终于有了大把大把的休闲时间，实在不知道怎么挥霍。

周六的下午，钱小美闲着没事，一个人在巴黎的街头闲逛，这里的街道不像北京那样宽敞，大多都是窄窄的，有点像上海，但是建筑不似上海那样新，更像一座古城。在这里停车很难，所有停靠在路边的车基本都有个黑色保险杠，个个不拉手刹，想要停进去，先要把前面的车向前顶一下。

逛着逛着，一个小时装店的橱窗吸引了她的注意。她走了过去，看着里面的一件灰色的连衣裙，质地是丝绸，标价 160 欧元，不到 1600 人民币。她想，也不贵呀！在北京，一条这样做工的裙子恐怕也得这个价，没准更贵呢，再说欧洲人挣多少钱，中国人挣多少钱呀？她对着玻璃窗做了个无奈的表情。

正出神，身边有个男声说："中国人吗？"她略微一惊，偏过头去，是一个留了胡须的中国男人，个子瘦高，正在和她说话。"是呀。"她答道。那男人一笑，搓了搓手："我看背影，觉得你是中国人，就凑过来了。我下午无聊闲逛，看到华人很亲切，你愿不愿意和我一起去喝个咖啡什么的呢？"他的表情看起来诚恳而有礼貌，钱小美正无聊，没怎么想就点了点头。

她打量着眼前这个男人，总觉得他有点眼熟，声音好像也不陌生，琢磨了一会儿，她的心忽然狂跳起来："……是唐西吗？"那男人一愣，也开始认真打量她："怎么会有人知道我叫唐西，两年没用的名字了。你是，你是……钱小美吗？”

钱小美使劲点着头：“我是，我是钱小美。唐西你怎么在这儿？还留了胡子！”

“我在这边上学呀……你也变了，比从前胖不少啊……”

钱小美觉得这一切就像做梦一下，她使劲掐了一下自己的胳膊，很疼，接着又掐了一下唐西的胳膊，唐西“啊”地大叫一声：“你怎么了？小美，干吗掐我？”

“疼吗？”

“当然疼了！”

“那说明你真的是唐西？”

“我当然是唐西了！”说完，男人一下子抱住了钱小美，在原地转了个圈。

钱小美“咯咯”笑着，就像瞬间回到了校园时光，两个人说了几句话，唐西就拉着她的手向浪漫的塞纳河边跑去。夕阳挂在天边，塞纳河的水面上泛着金色的光，明亮但是很柔和……